新潮文庫

家守綺譚

梨木香歩著

新潮社版

8005

家守綺譚●目次

サルスベリ 9
都わすれ 16
ヒツジグサ 22
ダァリヤ 27
ドクダミ 35
カラスウリ 44
竹の花 49
白木蓮《はくもくれん》 54
木槿《むくげ》 60
ツリガネニンジン 67
南蛮ギセル 71
紅葉 77
葛《くず》 84
萩《はぎ》 89

ススキ 93
ホトトギス 99
野菊 106
ネズ 113
サザンカ 120
リュウノヒゲ 126
檸檬《れもん》 134
南天 141
ふきのとう 147
セツブンソウ 154
貝母《ばいも》 161
山椒《さんしょう》 167
桜 172
葡萄《ぶどう》 180
解説　吉田伸子

家守綺譚
いえもりきたん

左《さ》は、学士綿貫征四郎《わたぬきせいしろう》の著述せしもの。

サルスベリ

鳥の落とし物から、時折見慣れぬ洋風の草も芽吹くが、元々は和風の庭だ。手入れをしないので、シュロ、クスノキ、キンモクセイ、サツキにサザンカ、タイサンボク、槇《まき》も榊《さかき》も柴《しば》、杉も、みんな伸び放題で栄耀《えいよう》栄華を極めている。前の家主の時代には、定期的に植木屋が入ったので皆それなりに分をわきまえてこぢんまりとおとなしい風《ふ》情《ぜい》であった。なぜそれが分かるかというと、ここは私の学生時代亡《な》くなった親友の実家であるのだ。名を高堂《こうどう》といった。もっとも高堂が存命の頃はまっすぐに二階の彼の部屋へ行っていたので、座敷に座りつくづくと庭に見入るということもなかったのだが。高堂はボート部に所属していた。山一つ越えたところにある湖でボートを漕《こ》いでいる最中に行方不明になった。私は卒業後、売れもしない文章を書いて相変わらず学生の時の下宿に居座り続けていた。他に行くあてもなかったし、引っ越しの算段もつかなかったからである。ときたま雑誌に掲載されるくらいの稼ぎでは、まず人として食ってはいけない。それで英語学校の非常勤講師もしていた。正職員に、という話もあったが、やはり私の本分は物書きであるので、あまりそちらの方に精を出したくない、と思い、丁寧に断りを述べた。すると校長はふふんと鼻で笑い、いや、これは失礼をいたしました、お見それいたしまして、と見え透いたへりくだりをした。品性の低いやつだ。これはやはり、どうでも自らの真に欲するところに身を置くべきであると決心したが、さてしかし、先立つものがないことにはいかんともしがたい。そうこうしているうちに、亡くなった高堂の父親から、年老いたので嫁に行った娘の近くに隠居する、ついてはこの家の守をしてくれないか、ここに住んで毎日窓の開け閉めなりとしてくれたなら、些少《さしょう》なりとも月々のものもお渡ししよう、という、まさに渡りに船の話が来たのだった。盛夏の頃であったのでなけなしの財布をはたいて西瓜《すいか》を買い、それをぶら下げて、ミンミンゼミが降るように鳴く緑陰の道を通り、挨拶《あいさつ》に行った。話はとんとん拍子に決まり、その次の春から、私はここに越してきた。と、同時に英語学校も辞めた。辞めてやった。

庭の手入れについてはご随意に、ということだったので、全く手を入れるということはしなかった。しかしそのせいか草木の勢いがやけに良い。

家の北側は山になっている。山の裾《すそ》には湖から引いた疏水《そすい》が走っている。家の南は田圃《たんぼ》だ。その田圃に疏水から用水路が引かれている。その水路の途中が、この家の池になっている。ふたま続きの座敷にL字を描くように縁側が付いていて、そのL字の角にあたる所の柱が、池の中の石の上に据えられている。縁側から池を挟んだ向こうに、サルスベリがこちらに幹を差し掛けるようにして立っている。

隣家のおかみさんが、ここに住んで二十余年になるが、このサルスベリがこのように隆盛に咲いている様は初めて見た、と手間入りのちらし寿司《ずし》を届けがてら、賛嘆して帰っていった。偶然の結果とはいえ私は内心得意である。本来このように花を咲かせられる状態の木ではない。座敷から見るとわからぬが、裏に回るとこのサルスベリはうろが大きくくくれて、座敷から見えるところの皮一枚でかろうじて生きているのが分かるのだ。

そのまま腐らずに細々とでも咲き続ければいいと思っていたが、満開の名に恥じぬこの様はどうしたことか。サルスベリというぐらいであるから、木肌はすべすべとしていて撫《な》でると誠に気持ちがよろしい。それで文章に躓《つまず》いて考えあぐねて庭を回っているときには、つい、サルスベリを撫でてやるのが日課になった。腕を伸ばして頭の上ぐらいから手のひらを滑らすとするするつるつると、なんのつっかえもなくなめらかにしっとりと足下まで撫でることが可能である。木肌の多少の起伏も感触に興趣を添える。しかしまさかそのせいでもあるまい。仕事に逸《はや》る若い植木屋に理不尽に矯《た》められなかったことが幸いしたのであろう。私の功績は植木屋の鋏《はさみ》から解放してやったことだ。

サルスベリの花は、桜よりも濃いめの上品な桃色をしている。それが房になり、風が吹くと座敷の硝子《ガラス》戸を微《かす》かな音でたたく。

昨夜も最初はそうだった。

夕方から風雨が激しくなり、雨戸を立てなければならないところが、横着をして万年床に潜り込んだ。すると夜中に、硝子戸がきいきい音を立てる。それまでの、ガタガタカタカタとは明らかに違う。それで目が覚めた。猫か何かが、と始めは思った。放っておいて眠ろうと思うのだがそれがだんだん激しくなる。しまいには家鳴りかと思うほどになってきたので、たまらず起きあがって、洋燈《ランプ》を点《つ》け、縁側の硝子戸を見に行った。

洋燈に浮き上がった硝子戸の向こうは漆黒の闇《やみ》、それを激しくかき回すように雨風が吹き荒れ、平常はどう風が吹いても花房の先が硝子に触れるほどなのに、まるで何かの巨大な力でぐいっと顔を押しつけるようにサルスベリの花々が硝子に体当たりをしてきているのだった。大枝ごと押し寄せるようにぶち当たり、またざっと波が退《ひ》くようにいったん退いて、同じことを繰り返す。その音が、次第に幻聴のように聞こえてくる。……イレテオクレヨウ……

こうなっては、今更雨戸を立てる気にもなれず、第一この風雨の中、戸を開ける勇気が出ない、私は座敷に戻って、もう一度布団《ふとん》を頭からかぶり寝ることにした。洋燈は消さずに枕元《まくらもと》に置いたままにしておく。やがて次第に風雨は収まり、それと同時にまたキイキイという音が戻ってきた。硝子戸からとばかり思っていたが、気づくと床の間の掛け軸の方から聞こえてくる。私に掛け軸など持つ甲斐性《かいしょう》はない、これは家主がおいていったものだ。水辺の葦《あし》の風景で白サギが水の中の魚にねらいを付けている図だ。布団から頭だけそろりと出して、床の間を見ると、掛け軸の中のサギが慌《あわ》てて脇《わき》へ逃げ出す様子、いつの間にか掛け軸の中の風景は雨、その向こうからボートが一艘《そう》近づいてくる。漕ぎ手はまだ若い……高堂であった。近づいてきた。

——どうした高堂。

私は思わず声をかけた。

——逝《い》ってしまったのではなかったのか。

——なに、雨に紛れて漕いできたのだ。

高堂は、こともなげに云《い》う。

――会いに来てくれたんだな。

――そうだ、会いに来たのだ。しかし今日は時間があまりない。

高堂はボートの上から話し続ける。

――サルスベリのやつが、おまえに懸想《けそう》をしている。

――……ふむ。

先の怪異はその故《ゆえ》か。私は腕組みをして目を閉じ、考え込んだ。実は思い当たるところがある。サルスベリの名誉のためにあまり言葉にしたくはないが。

――木に惚《ほ》れられたのは初めてだ。

――木に、は余計だろう。惚れられたのは初めてだ、だけで十分だろう。

高堂は生前と変わらぬ口調でからかった。

――どうしたらいいのだ。

――どうしたいのだ。

そう訊《き》かれてまた考え込んだ。木に惚れられたときにどうすべきか、またどうしたいのか、まるで思いもしないことだった。

――迂闊《うかつ》だったな。

高堂は明らかにおもしろがっていた。

――あれはああ見えて、存外話し好きのやつだから、ときどき本でも読んでやることだな。そのうちに熱も冷めるだろう。

――なるほど。

本を読んでやるぐらいなら私の日常からさほど逸脱することもない、無理のない仕事であった。

――そうするよ。

――そうしたまえ。それではな。

高堂はこちらに背を向け、雨の中、葦の林の中をボートを漕いで帰ろうとしている。

私は大きな声で呼んだ。もっと話したいことがある。

――高堂。

――もう会えんのか。

――また来るよ。

高堂は小さくなるボートの上から、そう応《こた》えた。掛け軸のなかの霧はしだいに晴れてゆき、またもとの湖の風景に戻った。サギも帰ってきてもとの姿に収まった。

それから午後はサルスベリの根方に座り、本を読んでやる。あまり撫でさするのはやめた。サルスベリも最初は不満げであったが、次第に本にのめり込むのが分かる。サルスベリにも好みがあって、好きな作家の本の時は葉っぱの傾斜度が違うようだ。ちなみに私の作品を読み聞かせたら、幹全体を震わせるようにして喜ぶ。かわいいと思う。出版書肆《しょし》からはまだまともに相手にされないが、サルスベリは腐らずに細々とでも続けるように、と云ってくれている。それで時々魚を下ろしたときの内臓などを根方に埋めてやっている。来年は程々に花を咲かしてくれればいいと思う。

都わすれ

槙の根元は、日当たりがよく、春先からしゅんしゅんしゅんとヨメナのような芽が出てきた。

——都わすれですよ、前の奥さんが好きで。

と、隣のおかみさんが教えてくれた。

その風雅な名前が心に留まり、どんな花が咲くのだろう、と待つともなく待っていたのだが、果たしてそれは野菊のような姿形の、野菊よりは遙《はる》かに艶《つや》やかな濃い紫の可憐《かれん》な花であった。

最近短編が二つ、続けざまに雑誌に載った。稿料が入ったので、駅前の商店街の肉屋で肉を買ってきた。肉の包みをぶら下げて歩いていたら、犬が後を付いて来た。しっしっと追うのだが、いっかな離れようとしない。付いてくるのは仕方ないにしても、肉をぶら下げて歩くのは不用心であるから、頭の上に載せて歩きながら帰ってきた。途中近所の爺《じい》さんに出会って、何かのまじないですか、と聞かれたので、異国の風俗をふと思い、と答えておいた。実際嘘《うそ》ではない。ただ、異国の風俗が先にあってそうしたのではなく、そうしているうちに異国の風俗を思い出したのであるが。

七輪と鉄鍋《てつなべ》を座敷の前の縁側に持ち出して肉を焼いていたら、匂《にお》いにつられたのか、急に掛け軸が揺れ、どっこいしょと、高堂が出てきた。

――また突然現れるのだな。もう雨は要らぬのか。

そう訊くと、

――初手はな。何事も始めは勝手のわからんものだ。道ができれば通い易《やす》い。

道理である。縁先で何かが唸《うな》るので、見ると先ほどの犬である。門をくぐって庭に回り込んだらしい。高堂を恐れているのか、尻尾《しっぽ》を後足の間に丸めて後ずさりしながら唸っている。

――ほう、感心なものだな。綿貫、一切れ投げてやれ。

云い忘れたが、私の名前は綿貫征四郎という。

――貴重な肉だぞ。

私は露骨に嫌な顔をした。

――僕が生きていると思って、僕にやるつもりでやってやれ。

そう云われるとしんみりとする。

――それ、高堂からだ。唸るんじゃないぞ。

一切れ投げてやると、それがサルスベリの根元まで飛んで、途端に犬は尻尾を振りながら池を飛び越え肉に向かっていった。

――現金なものだな。

――畜生はあれでよいのだ。あれはここにいつくよ。名前を付けてやれ。

――それは困る。自分一人食ってゆくのでやっとなのに。

――何とかなるさ。隣のおかみさんはたいそうな犬好きだ。おまえの窮乏も知っているから何かと助けてくれるだろう。

――おまえは助けてくれないのか。たとえば俺に傑作を書かせてくれるとか。

――僕にそんな通力はないよ。

高堂はいかにも興味なさそうに云った。それから、

――名前だがゴローはどうだ。征四郎の次は征五郎、それでは大仰だから征をとって、ゴローだ。

――なんだっていいさ。小屋なんぞ造ってやらないよ。眠りたければ床下で眠ればいい。追い出さないだけのことだ。別に頼んでいてもらう訳じゃないからね。

肉を食い終えたゴローは、その辺りをくんくんやっていたがやがてサルスベリの根方を掘り返し始めた。魚の臓物のにおいがするのだろう。

――ああこら、よさないか。

私はうんざりして云った。高堂は、

――よせ、ゴロー。

と、すっと立ち上がって云った。ふむ、足はある。するとゴローは何としたものか、途端に神妙になって縁の下へくると平伏した。高堂は、

――よし、いい子だ。ゴロー。

と満足そうに云った。私はそれを見物しながら肉を食った。

――うまいぞ、おまえはいらんのか。

——誰に何を勧めているんだ、あきれたやつだな。俺はもういくよ。時間だ。

と云って、また掛け軸の中に入っていった。船を繋《つな》いでいたらしい。

——今度はもっと長居ができるか。

私は呼びかけた。

——たぶんな。

と、高堂は答えた。ゴローが掛け軸に向かって名残惜しそうに「わん」と吠《ほ》えた。

しばらくすると玄関の方で声がするので、出ると隣のおかみさんだった。

——いえ、何、これをつくりすぎたので……。

見るとうまそうな鶏肉《とりにく》の煮物だ。礼を云ったが、おかみさんは立ち去るでもなくそわそわとしている。

——さっき、犬の声がしたように思ったんですけど……。

そこへまことに都合良くゴローが尻尾を振って出てきた。満面の笑みである。犬に笑顔というものがあるとしたら、まさにこれしかないというような表情だ。

——まあ、かわいらしい！　犬をお飼いになるんですか。

——はあ、いや、まあ、そんな余裕もないのですが、行きがかり上……。

——功徳《くどく》をお積みなさいまし。

おかみさんはゴローを撫《な》ぜながら、まじめな顔で頷《うなず》き云った。この鶏肉はさては半分ゴローのおかげか、とようやく思い至った。

――ここの家で、犬の声がするなんてねえ……。前のご主人は犬嫌いだったんで、可哀《かわい》そうにここの坊やちゃんはいつもうちに来て、当時飼っていた犬をかわいがってくれたもんです。

坊やちゃん、とは高堂のことか。

――ええ、亡《な》くなられた……そうそう、たしかお宅と御同窓でしたっけねえ。この犬、名前はなんて？

――はあ、ゴロー、としようか、と。

――まあ、ゴロー？

おかみさんは目を輝かせた。

――うちで前飼っていた犬と同じ名前！　まあまあ、こんなことってあるもんかしら。他人、いや、他犬とは思えない。そうかい、おまえはゴローかい。

おかみさんは顔をゴローにこすりつけた。なるほど相当の犬好きに違いない。

夕方、ゴローに鶏肉を半分分けてやり、柄にもなく都わすれを摘んだ。裏に転がっていた口のかけた花瓶にそれを挿し、床の間の掛け軸の前に置いた。

そうか、高堂、おまえは、この家でゴローを飼いたかったのだな、と声を出さずに呟《つぶや》いた。

ヒツジグサ

縁側で釣りをしている。ときどき湖から疏水《そすい》を通って鮎《あゆ》がやってくるのだ。運がよいとウナギが釣れる。この間の朝などは、サギがじっと魚を狙《ねら》っていた。感心なものだ、上空からこの池に見当をつけて降りてきたのだな、と思って、ふと掛け軸に目をやると、そこにいるはずのサギがいなかった。おや、と、もう一度池を見ると、一瞬前確かにいたサギもいない。面妖《めんよう》なこともあるものだ、と再び掛け軸に目をやると、すでに帰り着いてそこですましている。油断も隙《すき》もない。

池には今、小さな睡蓮《すいれん》が咲いている。ヒツジグサという名だそうだ。よく付けたものので、未《ひつじ》の刻になると律儀《りちぎ》に花を開く。この水草が、最近、「けけけっ」とたいそうけたたましく鳴く。ヒツジなら他に鳴きようもあろうに。サルスベリはあまりこの花を好かないらしい。これが咲くといかにも嫌そうに幹が反る。俺は揉《も》め事はまっぴらだよ、と云《い》ってあるので今のところ大事には至っていない。

ゴローは最初、ヒツジグサが鳴くとぎょっとして飛び上がっていたが、今では慣れたもので昼寝の目を開けようともしない。ゴローといえば、これを飼い始めて以来、隣のおかみさんが一日一度は、余り物だ、ゴローにやってくれといって冷やご飯なり、味噌《みそ》汁《しる》なり届けてくれる。犬にやるのだから、全部いっしょくたにまとめて盛ってもよさそうなものだが、わざわざ別々の器で盆に載せてもってくる。私が相伴に与《あず》かるのを薄々知ってのことだろう。なかなか気働きのする隣人である。そういうわけで、ゴローを食わせてやるどころか私が食わせてもらっている。おまけに番犬もやってくれている。この間はやけに吠えるので何かと庭に出ると、竹垣の上で百足《むかで》が半身を持ち上げてゴローを威嚇《いかく》していた。両者一歩も譲らず、という構えであった。サギもあれでゴローの隙を見て魚採りに出てくるのだろう。とすればこの家の風紀はあの犬のおかげで何とか釣り合いを保っているのやもしれぬ。さすがは高堂の肝入りで居着いた犬だ。

この家は玄関の上が納戸《なんど》になっていて、勝手から梯子《はしご》を掛けて上るようになっている。先日、蚊帳《かや》を探しに上ったところ、風鈴を見つけたのでそれを軒下にぶら下げていた。昼寝の折など、夢うつつに良い風が吹いて、遠慮そうにチリーンと音を立てるのはまことに風雅なものであるが、どういうわけか、風鈴が鳴ると、必ずヒツジグサが「けけけっ」とあざ笑うかのごとく鳴くので、閉口してとうとう風鈴をはずしてしまった。

執筆は遅々として進まない。ゴローにも世話になっていることだしたまには肉でも食わせてやりたいと思うのだが、最初に一切れやっただけで以来こちらもとんとご無《ぶ》沙汰《さた》である。

暇なので釣りをしていると、いつの間にか睡魔におそわれ、体が急にぐらりとした。はっとして目を覚ますと、池の表で目だけが二つぎらりと光ったように思えた。途端にヒツジグサが「けけけっ」と鳴いた。そういえばヒツジグサが鳴く瞬間というのを見たことがなかった。不審に思って庭に出て、池の縁にしゃがみ込み、よくよく水の面を見てみると、今までヒツジグサの葉が群生していると思っていたところに、一枚、緑色の皿のようなものが浮いていた。すくいあげるとどうもぬらりとして薄気味悪い。厚みがあり周りに藻のようなものが密生している。ぽつぽつと穴も二つ三つあいている。先ほどのぎらりと光った目のこともあるし、このまま捨てておく気にもなれず、疏水の向こうの山寺の和尚《おしょう》の所に相談に行くことにした。気になると見え、ゴローも神妙に後を付いてくる。和尚とは最近知り合いになった。駅からの帰り道たまたま一緒になり、時折碁を打ちに行くようになったのだ。向こうもたいてい暇にしている。

案の定、そのときも前庭に筵《むしろ》を敷いて茸《きのこ》を乾かしていた。

——お精が出ますね。

——昨日の雨で、裏山に湧《わ》いて出よった。ほとんど水で出来ているようなものだから、乾物としてはあまり良い出来にはならんだろうが。

と云いつつ、私の持っているものをちらりと見て、

——それも乾物にするか。

と云った。

——全体、これは何なのです。

——どれ。

和尚は私の手からそれを受け取ると、よくよく子細に見た後、

——朽木村岩合の滝壺《たきつぼ》の生まれ。河童《かっぱ》じゃ。増水で流されて湖に流れ着いたのだ。

帰り道を間違えて、あんたのところの池にはまったらしい。

——河童とは、普段そのような姿をしているものですか。

——そうだ。水から引き上げるとこうなる。水に入れると戻る。

——乾物のような奴《やつ》らですね。

——少し前まで弘法市《こうぼういち》でそれの乾かしたものを売っていたよ。井戸の詰まりを直すのに具合が良いのだ。

——後生の悪いことはしたくない。疏水に戻せばいいでしょうか。

——疏水は流れが速いし、底がすり鉢状になっているから河童だとて、泳ぐのは難儀だろう。これ、ゴロー。

ゴローは自分が役に立つときが来たと心得ているように、耳をぴんと立てた。

——おまえ、ご苦労だがこれを朽木村の滝壺まで持っていっておくれ。

和尚はそう云って、木綿の風呂敷《ふろしき》にくるくるとそれを包み、ゴローの首からかけた。

——いいか、分かるな。この山をずっと登って尾根づたいに行くと、鯖《さば》の臭《にお》いのする街道に行き当たる。そこをずっと行き、川が見えてきたら中に入れ。そのうち包みから河童が一匹出てゆくから。

ゴローというのはしみじみ奇天烈《きてれつ》な犬である。わんと叫ぶと、まるで分かったかのように山へ向かって駆けていった。

以来二日経《た》っても帰ってこない。隣のおかみさんが心配するので、わけを話したら、

——よくあることです。

と、まじめな顔で頷いた。

河童の饗応《きょうおう》に与かっているのかもしれない。風鈴を取り出してきて、再び吊《つる》した。チリンとなってももうヒツジグサは鳴かない。静かで良いが、寂しい気もする。あの河童は風鈴が好きだったのだろうか。朽木村に行く機会があったら、滝壺の近くの木の枝にでも、吊してやろうと思っている。

ダァリヤ

駅舎の中に郵便を引き受けてくれるところがある。急ぎの原稿はそこで出すのが一等迅速である。出し終わって気楽になったところをぶらぶらと帰り道、低く巡らしたマサキの生け垣の向こうから、燃えるような暗い赤の花が此方《こちら》をのぞくように咲いていて、何やら穏やかならぬ心もちがした。もとより他人の家のものであるから、立ち止まりしげしげと見入るはまだしも、手を伸ばして触るまではなにやら憚《はばか》られる心地がして、そのまま行き過ぎてはみたものの、帰り着いてどうにも気になって仕方がない。びろうどのような花弁が家の花木《うち》にはない味わいであった。気になるものはつい文章に書いてしまう。文章に書くとついサルスベリに読み聞かせてしまう。それが過剰に彼《か》の花を讃《たた》えたもののように聞こえたらしい。サルスベリは機嫌が悪い。いちどきに頭から虫喰い葉や小枝を降らせたので這々《ほうほう》の体で家の中に入った。

雨が降ったり止《や》んだりして重苦しい曇天である。そのせいだろう、夕刻にはまだ間があるというのにもう気の早い蜩《ひぐらし》がカナカナ鳴き始めた。存外近くでするので所在を確かめようと縁側に立つとサルスベリの幹で透き通った羽を震わせている。人間には情趣があってよいがサルスベリには蚊がとまっているようなものであるから、あまりいい気持ちはせんだろうと棒の先で追っ払ってやった。それでもサルスベリは気持ちが動いたようには見えなかった。勝手にしろ、と私も家の中に引っ込んだ。雨がぽつぽつ降り出した。玄関の方で声がした。弾《はじ》かれたように立ち上がり、飛び出す。ゴローが帰ってこぬのが気になっているのだ。まさかゴローが声をかけて帰宅するとは思わんが、けがでもして誰か届けてくれたのやもしれぬ。

立っていたのは、蓑笠《みのかさ》を被《かぶ》った、眼光なかなかに鋭い男であった。開口一番、

——ご主人、お宅は百足が出るでしょう。

つられて、

――はあ、百足は出ますね。ほれぼれするぐらい見事なものが出ます。男は我が意を得たりという風にうなずき、

――やはり。長虫はどうです。

――ヘビも出ますね。

――マムシはどうです。

そういえば、ゴローがマムシに吠《ほ》えていることがあった。今頃どうしているだろう。

私は胸が少し痛んだ。

――出たこともありました。

――百足、マムシ、出たら捕まえておいてくれませんか。

――どうやって捕まえるのです。

――なあに、百足は長火箸《ながひばし》で、マムシはこれで、
と、先が二股《ふたまた》に分かれた小さな銛《もり》のようなものを見せ、

――頭を挟んでこの魚籠《びく》に入れておくのです。

――逃げ出しませんか。

――逃げ出しません。

――百足はともかくマムシは私はごめん被《こうむ》りたい。全体、そんなものを捕まえてど

うするのです。

――薬種問屋に売るのです。百足だけでもどうです。金になりますよ。なに、ご主人は捕まえておくだけでよいです。私が顔を出したとき引き取ります。その場で金もおいて行きます。

これには心が動いた。しかし、百足やマムシが出るたびに頭の中で金勘定をするようになる気がして、それはあまり高等な習慣のようにも思えなかった。第一、文筆に勤《いそ》しんでいるとき、やれ百足が出たからといって、全《すべ》ての思考を中断して百足採りに血道を上げるというのは本末転倒ではないか。

――だめだ、だめだ。折角だが断る。

長虫屋はちょっと気が削《そ》がれた顔をして、

――そりゃ残念です。百足の宝庫のような家だのに。

そう云《い》いおいて帰っていった。妙な商売もあるものだと、座敷へ戻ると、

――やあ。

高堂が床の間に腰掛けていた。

――おう。来ていたのか。そういえば雨が降っているな。やはり雨の時が来やすいのか。

――ああ。

――おまえに謝らねばならんことがある。

――ゴローのことか。

――なんだ、知っているのか。河童を送りに行ったきり帰ってこんのだ。

――あの河童はここに流れ着いてまもなく、サギをいたずらして引きずり込もうと企《たくら》んだので、サギが怒ってつついてやったのだ。そのときはゴローが間に入って事なきを得た。

その図を想像しようとしたが私の力の範疇《はんちゅう》を越えていた。絶句している私を尻目《しりめ》に高堂は続けた。

――それで河童はゴローに恩に着ている。今回のこともあって尚更《なおさら》だろう。ゴローは河童の嫁を連れて帰るやもしれん。

――それは困る。

私は慌《あわ》てて云った。

――隣のおかみさんが犬好きなので助かっているのだ。しかし河童まで世話してもらうわけにはいかん。あまりに面目ない。

己れの甲斐性《かいしょう》のなさは百も承知だが、この上わけの分からないことになる心算《つもり》はな

い。高堂はにやりと笑って、

——安心しろ。その縁組みは障《さわ》りがありすぎる。成就《じょうじゅ》は難しいだろう。

安心した。そういえばこいつは昔からこうやって人をからかう癖があった。死んでもそこは直らなかったとみえる。

——ゴローは帰るだろうか。

——帰る。ついさっき、湖畔を歩いているのを見た。

——何でまた、湖畔を。

——そこまでは知らん。犬も見聞を広めたく思うこともあろうよ。河童との別れを惜しんで旅愁に浸っているのやもしれぬ。

——益体《やくたい》もない。

庭先でぶるっと獣の体を震わせる音がした。

——ほら、云うてる間に帰ってきた。ゴロー、早かったな。

高堂は立ち上がって、ゴローに声をかけた。ゴローはさほど疲れた様子も汚れた様子もなく、嬉《うれ》しそうに尻尾《しっぽ》を振り「わん」と啼《な》いた。最初に高堂にあったときからすると、随分な違いである。私もほっとして、

——ゴロー、ご苦労だったな。

と、縁先から頭を撫《な》でてやった。ゴローは満足そうであった。何かやりたかったが何もないのがつらい。

そこへ、玄関で「もうし」と隣のおかみさんの声がした。

――ほら、ゴローの声が届いたのだ。ゴロー、よかったな。

ゴローはいそいそと玄関の方へ走っていった。そこでひとしきりおかみさんの「ゴローや。よく帰っておいでだねえ」という声が聞こえた。私が玄関へ回ると、

――勝手に入らせてもらってすみませんねえ、ゴローの声が聞こえたもので。あいにくこんなものしかなかったけれど。

見るとゴローはふかし芋を喰っていた。やはり腹が減っていたのだろう、いつもよりがつがつと食しているようだった。

――かわいそうに。

おかみさんは同情しきりだった。しかし、私が何ともいえない複雑な思いをしたのは、ゴローが、夢中で食べながらも、ちらちら申し訳なさそうに私を見るときだった。まるで、「独り占めして良かったのでしょうか」と云っているように見えた。不憫《ふびん》である。私自身もまた哀れであった。やはり百足採りを引き受けるべきであったか。害虫を役立てるのに何の不都合があったというのか。マムシだって、その気になって採

集すればできぬことはないだろう。近所も喜ぶ。薬種問屋も喜び、病人も喜ぶ。私の経済も助かる。私はやるべきなのかもしれない。しかし、私はこの考えを好かなかった。少しく自分に嫌気がさした。座敷に戻るともう高堂はいなかった。これもまた心細く、私をいつになく破滅的に豪気な気分にした。財布をとると、外へ出た。肉屋へ行くのだ。ゴローの帰還を祝うのである。

雨は止んでいた。ゴローが嬉しそうに後から付いてくる。途中、あの赤い花の咲く家の横を通った。髪を三つ編みにした娘さんが庭を掃いていた。ふと目があった。私は何しろ気分が高揚していたので、

――美しい花ですね。

と、声をかけた。娘さんは頰を赤く染めて、

――ダァリヤ、というのです。

と答えた。それだけで別れた。私はひどく心が浮き立つようだった。ゴローは何もかも心得たような顔をして、線路の高架の手前で尻尾を振りながら待っている。空は高く晴れている。

百足もマムシも何するものぞ。ゴローが帰ってきたのだ。

ドクダミ

新緑だ新緑だ、と、毎日贅《ぜい》を凝らした緑の饗宴《きょうえん》で目の保養をしているうち、いつしか雨の季節になった。濡《ぬ》れることなど、平気の平左と思われるゴローも、基本的には好んで濡れる必要もないと考えているのだろう、縁の下で退屈そうにしている。私ももちろん、出かける気がしない。

じっとして机の前に座っていると、ざぁーという雨の音が縁の回り、家の回り、庭のぐるりを波のように繰り返し繰り返し、だんだん激しく取り囲む。その音を聞いていると、何かに押さえつけられてでもいるように動けなくなる。さながら雨の檻《おり》の囚人になったような気になる。昼だというのに夜の如《ごと》く暗く、空気はひんやりと梅雨冷えの肌触り、頭の芯《しん》にまで冴《さ》え冴《ざ》えとした湿気が染《し》み通ってきそうだ。

昼からは久しぶりに雨が止んで、雲の切れ目から太陽が垣間見《かいまみ》え、陽の光が唐突に我が庭にも差し込んできた。やれやれ、と、庭に出て伸びをする。この何日かの雨で、草木がまた急に伸びた気がする。辺りを見回していると、池の端に何やら畳んでおいてある風情《ふぜい》、何だろうと近づくと布のようでもなし、皮のようでもなし、暗緑色に濃い茶を混ぜたような土色をして、しかもてろてろ光っている。気味が悪いので、棒の先に引っかけてみる。べろん、と広がると、土色が透明を帯びて、微《かす》かな風にへろへろと揺れている。筒袖《つつそで》の上着に猿股をくっつけたような形である。といっても、全体はそれほど大きくない。私の膝丈《ひざたけ》くらいか。そのとき突然玄関の方から声がした。

――やっと雨が上がったねえ、ゴロー。

隣のおかみさんである。またゴローに何か持ってきてくれたのか。そう思っていると、ゴローも縁の下からごそごそと出てきて、私は庭へ回ってきたおかみさんに軽く会釈《えしやく》、おかみさんも笑顔でそれに応《こた》えようとしたが、

――これはまた見事な。

一瞬棒立ちになり、私の持つ棒の先に見とれた。

――何ですかこれは。

私はちょっと棒の先を揺すって見せた。おかみさんは、

――河童《かっぱ》の抜け殻に決まってます。

と、自信満々で応えた。

――何故《なぜ》そんなことまでご存じなのか。

私は訝《いぶか》しく思いつつ訊《き》いた。おかみさんはちょっと哀れむように私を見、

――一目見れば分かります。

私には分からなかった。

――体が固まる前の、まだ若い河童だ。

益々《ますます》分からない。

――劫《こう》を経たものはそれ、先だってのように皿だけになって干物にも出来ますが、若いのはまだ、みずみずしいから。

おかみさんは此処《ここ》の部分を心もち憂《うれ》いのある声で云った。

――冬越しして表だけ固くなった皮を、更に五月の陽気で乾かせて、梅雨の始まりの雨に打たせて、ふやかして脱ぐんですよ。若い河童に限りますがね。ほら、水掻《みずか》きの跡まで。

云われてみれば、なるほどそれらしい跡がある。おかみさんは近寄り、ほうほうほう、と水掻きの辺り、足ひれの辺りを伸ばししてしげしげと見た。

――見事なもんだ。背中から割れてきて、片っぽの指の先を押さえておいて少しずつ、浮かせながら、肩から脱いで、順番に、破かないように脱いでいったんだ。これ

は女の河童だね。男にこんな芸当は出来ない。

そのきっぱりとした物云いに、少しく反感を覚え、

——私はともかくも、男にだって、癇性《かんしょう》の奴《やつ》はいますよ。

と、小さく呟《つぶや》いた。その言葉は聞こえなかったようで、おかみさんは、

——少しちぎって箪笥《たんす》の引き出しの奥に入れといたら、衣装が増えるって昔から云うけど。

と、惜しそうに眺めて、

——でも、こんなに見事なんは、そのまんまとっといたほうがいい。

と、葛藤《かっとう》の末、我欲を吹っ切った様子で、

——そこの軒下にでも、乾かしておいたらいいです、それがいい。

——乾かして何にするんです。

——何にって、あなた。

おかみさんは暫《しば》し思案の後、

——よほど困ったとき、薬種問屋に話をするとか。

——こんなものが何の薬になるのです。

——それは薬屋が見当を付けること。

と、持参の小鍋《こなべ》から、ゴローの皿に鯛《たい》の頭骨と見える物体を移し替えた。

——おとっさんが棟上げ祝いで鯛の焼き物を貰《もら》ってきたんだ。ゆっくりお食べ。ご主人にもお裾分《すそわ》け。玄関の上がり框《かまち》に置いておきましたから。

いつもどうも、と頭を下げ、上げるとおかみさんはもうそこにはいなかった。玄関に回ると私には尾頭付きが待っていた。有り難いことである。

夕方からまた雲行きが怪しくなった。何となし気になって、曰《いわ》く「河童の抜け殻」を中に取り入れ、二階の衣紋《えもん》かけにかけておく。一階に下り、座敷の電燈《でんとう》を点《つ》ける。疏水《そすい》の先に電気工場が出来たので、ここの家も座敷と玄関ぐらいは電燈が点くようになっているのだが、これがしょっちゅう停電するので、あまり当てにはしていない。頼りはやはり洋燈《ランプ》だが、時には電燈も点けてやらぬと電気に臍《へそ》を曲げられても困る。

夕食後、案の定、また雨が降り出した。ゴローが外で変な鳴き方をしている。そう云えば、「河童の抜け殻」を取り入れるときも、少し妙だった。鯛の頭骨が悪かったか。梅雨冷えがするのかもしれぬ、土間に入れてやろうか、と、玄関を少し開け、ゴローを呼んだ。しかし来ない。ずいぶん待ったのだが来ないので、諦《あきら》めて戸を締めた。何かあってはいけないと、念のため、一階の座敷で仕事をすることにした。ここなら、ゴローの気配が容易に知れる。

その晩は随分原稿が進んだ。河童の抜け殻のせいかもしれぬ。原稿が進めば収入も増え、自然と衣装も貯《た》まるという仕組みなのかもしれぬ。これは重宝なものをもらったものだ、と内心ほくそ笑んでいると、何か音がする。すわゴローかと身構えれば、床の間の方だ。一段と大きく、ガタガタいったかと思えば、ボートの舳先《へさき》がいきなり飛び出し、すぐに引っ込み、そして高堂が現れた。ああ、来たな、と思って暫《しば》く眺めていたが、向こうが到着に付随する手続きのあれこれを一段落させて此方《こちら》を向くと、私はうなずいてすぐに原稿用紙に戻った。今更此方も驚かない。向こうも此方の都合などお構いなしに勝手に入ってくるのだから、手間の入った挨拶《あいさつ》など期待してはおるまい。しかし高堂は、私の忙しそうな気配など意にも介さず、

――君、河童衣をどこへやったのだ。

と、いきなり横柄《おうへい》な口のききよう、ははあ、河童衣とはあれのことだな、とピンときたが、

――それは全体どんなものかね。

と、とぼけた。すると、

――とぼけるな。知らない言葉にいちいち狼狽《うろた》える癖のあるおまえの、その妙に落ち着いた物腰は、そのまま、へい、河童衣、承知しておりますとも、と云っているよ

うなものだ。

私は素直に少々狼狽えた。

──成程ねえ。で、仮にそれを僕が持っていると仮定してだねえ、それが君とどういう関係があるのだ。

高堂は、後ろを見た。すると、掛け軸の向こうから、年の頃、十二、三ぐらいかと思われる、禿《かむろ》の姿をした少女が出てきた。帷子《かたびら》がぐっしょりと濡れている。すっかり悄《しょ》げているのか床の間にぽつんと立ったまま、顔を上げようともしないところは、さすがに少し気味が悪い。高堂は、同情深くその姿を見やり、

──あれはあの子のだ。

──しかし、あれは、河童の抜け殻、河童の脱皮のあとなのではないのか。

思わず白状してしまったが、高堂は、その揚げ足をとりもせず、当たり前のように、

──それは間違って流布《るふ》している説だ。河童たちは迷惑している。そうやって、迂《う》闊《かつ》にも脱ぎ置いた河童衣を人に取られてしまい、帰るに帰れず、そのまま水商売に入ってしまった河童族の、何と多いことか。この子も、ここで脱いでおいたのを取りに来たのだが、見つからない。ゴローにわけを聞いて、その手引きで私のところに助けを求めてきたのだよ。

憮然《ぶぜん》とした。まるで私は盗人《ぬすっと》の悪漢扱い、高堂はどこまでも善玉ではないか。立ち上がり、二階へ上がって「河童衣」をとってきた。階段を上がり下りしている間に、むっとしていたことを忘れてしまい、手渡すときはもう、

――乾きすぎたかな。湿り気がある方が良いのかな。

と、すっかり親身になってしまったのには我ながら情けない気がする。もう少し凄《すご》みのある人格の方が、奥行きがあって、文筆を業とするのにもだいぶいいような気がする。どうもこういう軽さが、原稿に重みの生まれない致命的な要因なのではないだろうか。

その子は左右に揺れるように、嬉々《きき》として近づき、ぺこん、と頭を下げて私から河童衣を受け取った。ちらりと見た手の色顔の色は、少し緑の入った真っ白の白粉《おしろい》ではたいたよう、そうと思ってみるせいか、にぃっと笑って左右に引っぱられた異様に薄い唇が、どこか人の世のものではない気がした。いやいや、そう思っては不憫《ふびん》だ、何とか好意を示そうとした挙げ句の表情なのだろうから。河童の禿は、高堂にもぺこんと頭を下げると、それを持って、一カ所だけ開いていた縁側の硝子《ガラス》戸の向こう、池の端に飛び降りた。外はまだ小雨が降っている。

――見ないでやれ。

高堂が呟き、私は慌《あわ》てて目をそらした。

——あの衣は小さすぎるように思うが。

——伸縮がきくのだ。伸びるんだよ。今日は清滝で河童の十三参りがあったのだそうだ。他の仲間はみんな、北の方で山越えしていったのだそうだが、あの子は汽車に乗りたくて、ここまで来たんだそうだ。

高堂は何でもないように云った。やがて池でぽちゃんと音がして、それから静かになった。

二人で縁側に立ち、外を眺めた。

——よし、行ったな。

——よかったよかった。

延々と続く水の道の匂《にお》いが、微かに生臭く、鼻先を掠《かす》めた気がした。裏山から漆黒の闇《やみ》が、ついそこまで迫ってきている。室内の電燈の明かりを受けて、池に注ぐ水路の回りを、白いドクダミの花が燈籠《とうろう》のようにボウボウと、群を成して咲いている。小雨が、音もなくその上に降っている。

カラスウリ

勝手の土間から板の間へ上がる際、どんとばかり、足を下ろした勢いで、床がズボッと抜けた。それが梅雨の頃である。じめじめと雨が続くと思っていた。弱ったがそこを避けて歩くように気を付けさえすれば、殊更《ことさら》不便があるわけでもない。放っておいたら、そこからいつのまにか奇妙な植物が生えてきている。蔓性《つるせい》のものである。これも別段、何と云《い》うこともないので放っておく。するとそれがつるつる触手を伸ばすようにして板戸に張り付き、そこから四方八方探るようにしてふるえるような葉を出し蔓を巡らし始めた。

土間の勝手は天井が張られておらず、その屋根裏の、私が竿《さお》を持ってしても届くか届かぬかというぐらいの高さに天窓がある。そこからの日照が、元々は昼間でも暗い土間を、薄ら明るい光で満たしている。この奇妙な植物が、うらなりの病人のようなふらつきを見せながらもモヤシの成育のような速度でもって隆盛を誇ったのも、その弱光のせいであったのだろう。とにかく色素が薄い。透明な水の如《ごと》き黄緑である。

このような切々たる成育の過程を見ているので、私もむげに引き抜く気にもなれず、毎日勝手に来るたびに、ほう、ほう、と感心していたのだが、いつのまにか板の間の天井いっぱいに網をかけるようにして誇り、土間の方の屋根裏にまで向かい始めたときはさすがに薄気味悪くなってきた。心なし葎《むぐら》の蔓延《はびこ》る廃屋のような有様を呈している。これは何とかせねばならん、と思うのだが、何しろ、こいつがか細い蔓の先を心細げに床の穴から伸ばしてきたばかりの頃から見ているせいか、情が移ったのだろう、いざとなると、まあ、今日の所はいいさ、と順繰りに成敗を日延べにしている有様である。家の管理を任されている身としては、甚だ申し訳ない。

たまたまその日はひどく日差しの強い日で、あまり風もなく、私はその勝手の板の間に昼寝を決め込んでいた。確かに不気味ではあるが反面、ここは緑のあずまやのようでもあり他の部屋とは気温において二、三度の落差がある。勝手口から玄関を抜ける空気の流通もよい。勝手口の外の、湿った石垣を通過したひんやりとした風が、肌に心地よい。さやさやと室内の繁《しげ》った葉っぱも揺れる。やあ、これはいい心もちだ、と、うとうとしていると、俄《にわか》に辺りが明るくなった。ふと見上げると、天井から一面雨のように、真白く細き絹の糸のようなものが降りてくる。それぞれが白銀のごとく輝き、荘厳《そうごん》なこと、この上もない。私の寝ている辺りにまで降りてきたので、そっと掴《つか》んでみると存外丈夫そうであった。そのまま昇ってみる。さやさやと白い光の林だ。光の林の向こうに誰かいる。目を凝らすとどうも高堂のようだ。おーい、高堂、と呼ぼうとしたがうまく声が出ない。のどを押さえると変な感触がする。慌てて手を見てぎょっとした。人間の手ではない。

——当たり前だ、おまえは家守《やもり》だもの。

高堂がいつの間にか近づいていてそう云う。

——最初からか。

私は嗄《しわが》れた変な声で高堂に問う。そうか、これが家守の声というものか、と妙に感心する。

——そうだ、おまえは夢を見ていたのだ。人になった夢を見ていたのだよ。

高堂がいつになく優しく説いて聞かせるように云う。ああ、なるほど、そうであったか。夢であったか、とようやく安心したように納得する。と、激しい風が吹いてきた。私は落ちないようにしっかりと四本の脚でつかまった。

そこで目が覚めた。勝手口の戸を突風が揺らしていた。辺りは暗くなり湿気を含んだ風が入ってくる。夕立がくるらしい。ばらばらと大きな雨音が立ったと思ったら、あっという間にざあっと降り出した。

まだ寝ぼけていたとみえ、ぼうっとしていると、天井の方にくしゃくしゃのレェスのような白い固まりがあちこちしているのが見えた。起きあがってよくよく子細に見ると、どうもこの植物の花のようである。白い花弁の周りに、まるでそれの吐息のような白い糸が絡《から》んでいる。夢の続きを見ているようである。それとも今が夢なのか。

玄関の方で声がした。ふらふらしながら出ると、学生の時分の後輩、山内だった。今は隣り市《まち》の出版書肆《しょし》に奉職して編集社員になっている。中に通してこの奇怪な現象を見せる。

――ああ、これはカラスウリの花ですよ、先輩、見たことはありませんか。

――あんなものに花が咲くのか。

――ひどいなあ、実が生《な》るんだから花も咲きます。普通は日暮れ時に咲くんですが、先輩の話によるとここは日中も日暮れのようなものなんですね。それで昼日中から咲き始めたんでしょう。ここは戸も開け放しているようだし虫もやってくるから、秋には実が鈴なりでしょうなあ。

天井から一斉にカラスウリが生っている様を想像した。

――にぎやかだろうなあ。

――こんなに生《は》やしていて、大家に具合が悪いことはないんですか。

――いいことはなかろう。困っている。

――しかし、ここまで見事なものは見たことがない。

山内は腕組みをして、天井をにらんでいる。ふと、手を伸ばして、

――おや、なんだこれは。

干涸《ひか》らびた木の皮のようなものを、白い花の間から取り出した。

――ほう、家守だ。

山内の手にあるものを見たら、確かにからからに固く乾いた家守だった。

――なんであんな花の中にあったんだろう。もともと天井に張り付いていたのが落ちたのだろうな。しかし、まるで花に精気を抜き取られているようだ。

――ふむ。

私もその物体を手に取り、しみじみと見つめ、思わず、

――なに、かまわんさ。

と云った。

竹の花

汽車を降りてきた和尚《おしよう》と出会った。霧雨のような雨の降る午後である。私は駅舎に原稿を出しに行った帰りであった。

——今お帰りですか。

——御山へちと用事があってな。

何ということもなく連れ立って歩く。途中で和尚が、どうだい、と云った。私は、いいですね、と答えた。碁である。自分の家の前を素通りして和尚の山寺の方へ歩く。疏水《そすい》を渡って緩やかな坂道を上って行くと霧雨はいよいよ茫洋《ぼうよう》としてきて、霧そのものになってきた。まったく先が見えない。慣れているはずの和尚も杖《つえ》で足許《あしもと》を探っている。

——もう山門の辺りのはずですよ。

坂道を上り始めてから随分になる。気が付けば、霧が多少晴れて、両側から竹林が迫ってきていた。和尚の山寺への山道の周囲にこんな所があっただろうか。

――こいつは、
和尚は立ち止まり、呟《つぶや》いた。

――昔タヌキに化かされたときと全く同じ展開になってきた。

――いつです、それは。

心なし、悲鳴のような高い声になってしまった。

そこへ竹林の向こうから、カンテラの燈《あか》りが近づいてくる。霧の中をぼんやりと照らしているが、近づくにつれどうやら手ぬぐいを被《かぶ》った女である。両側から竹が邪魔をして歩きにくそうにしている。伏し目がちにしていて顔はよく見えない。立ち止まると、か細いが存外しっかりした声で、

――お迎えに上がりました。

と云う。手ぬぐいに似合わない、薄い朱を帯びた紗《しゃ》の着物を着ている。

――おい、こいつはキツネだぜ。どうりでタヌキのときと趣向が違う。上等だ。

和尚が耳元で囁《ささや》いた。

――さっきタヌキのときと全く同じ、と云ったじゃありませんか。

――ほうっ、ほうっ、いや、世の中というのはおもしろいものだ。

和尚は確かにいいかげんなところがある。しかしそれが今日はひどいようだ。キツネの女は先に立って歩き出した。和尚も付いて行く。仕方がないから私も付いていった。

いつのまにこんな竹林の中に入り込んでしまったのだろう。霧が動く壁のように私たちに迫り、キツネの女はたたみかけてくるように左右から襲いかかる竹笹《たけざさ》を払いながら歩を進める。

どのくらいそうして歩いたのか、気が付くと見覚えのある山道に出てきた。すると、いきなりキツネの女がこちらを向いて、

――お帰りっ。

と、和尚に一喝した。和尚は、普段に似合わない、妙に卑屈な笑いを浮かべたかと思うと、あっという間に煙のように消えてしまい、近くの藪《やぶ》で大きな音がした。それこそキツネにつままれたような顔をしていると、

――あれはタヌキです。

と、キツネの女がすまして云った。私は気圧《けお》されておずおずと、

――お山の帰り、といっていたが。

――一乗寺の狸谷《たぬきだに》不動山のことです。寄り合いがあったのでしょう。

——私を化かそうとしたのか。

——少しからかうぐらいのつもりだったのでしょうが、ここまできて、もっと上手のものにバカされそうになったのです。

——それは……。

——竹の花。六十年に一回咲くという、竹の花が、今、山寺の周りで満開なのです。お気をつけなさいませ。本物の和尚の寺はこの先、さあ、参りましょう。

キツネの、もとい、たぶん和尚の差し向けてくれた女は、山寺の山門の前まで連れていってくれた。山門の辺りで和尚に出会った。

——よく辿《たど》り着いたものだな。

和尚は大声で云った。

——ええ、なんだか大変でした。狸やら竹の花やら。

——ああ、そうだろう、今朝も檀家《だんか》が一人、来るというので待っていたのだがとうとう辿り着かなかった。

——それはおおごとじゃありませんか。もっと人を頼んだ方がいいのではないですか。

——いやなに、明日になれば、かぐや姫の館《やかた》に行っていました、とか云いながら照れくさそうにやってくるよ。

そうなのか。では、化かされても良かったかもしれない。

——残念なことをしたような気がする。迎えの人が早すぎましたか。

そう云った後、慌《あわ》てて、これは失敬、と女の方へ目をやったが、女はいなかった。

——迎え？　わしはそんなものは知らない、第一、君が来ることは知らなかったのだから。

わけが分からない。とりあえず、寺へ上がり込み、和尚と碁を打つ。調子が乗らず、負ける。帰る時刻になり、また山道を降りるかと思うと、化かされて、それが竹の花だと楽しみのような、狸だと胸くその悪いような、どっちつかずの気持ちでいると、

——おい、ゴローが迎えにきているぞ。誰の差し金だろう。

と、和尚が庭の方を見て呟いた。見れば、確かにゴローがさかしげな顔をして座っている。

——なんだ、ゴロー。

と声をかけると、立ち上がって尻尾《しっぽ》を振った。仕方がないので、和尚に帰りの挨拶《あいさつ》をし、何ということもなく無事に山を下り、家に帰り着いた。

勝手で茶をわかし、和尚からもらってきた供え物の饅頭《まんじゅう》を、ゴローと分けながら縁

側で食べていると、ふと、サルスベリの様子がおかしいのに気づいた。近づいて子細に見ると、何と、竹笹と白い竹の花とおぼしき花を全体につけているではないか。まるで竹藪で格闘でもしたかのようであった。ははあ、と思ったが、知らぬ顔をしておいた。

白木蓮《はくもくれん》

昼過ぎになって、急に外が暗くなったと思ったら、ボツボツザーとあっという間に雨が降り始めた。のみならず雷さえ鳴り始めた。それも遠くの空でごろごろいっているうちはよかったのだが、強烈な閃光《せんこう》が走ったと思ったら、バキバキバキっと鼓膜をつんざくような暴力的な音がした。さてはサルスベリに、と慌てて縁側に走ったが、サルスベリは無事であった。雷はまだごろごろいっていたが少し遠ざかったようであった。

夕方、雨上がりの庭に出て、木戸の脇《わき》、通りに面して立っている白木蓮がたった一つ蕾《つぼみ》を付けているのに気づいた。季節はずれもいいところである。不思議なこともあるものだ。季節の風情《ふぜい》ではないが、夕闇《ゆうやみ》に白くぼんやりと明るんでいる様は、雛《ひな》の節句のぼんぼりのようだ、と私はしばし見とれた。

次の日、「もうし」と玄関先で声がするので、出ると例の長虫屋であった。

――や、この間は失礼しました。

――虫は捕っていないが。

私は慌てていった。知らぬ間に、長虫屋と契約をしていたのだろうかと不安になったのである。長虫屋は目を閉じ口をへの字に結ぶと、眉間《みけん》に皺《しわ》を寄せて小さく首を振った。そのことはゆうてくれるな、という身振りである。

――昨日、この辺で雷が落ちたでしょう。

――雷ならひどい音がしたが、それが不思議にこの界隈《かいわい》ではなかったようだ。

――いや、ここに落ちたのでさあ。

急にぞんざいな口調になって、

――お庭の白木蓮に。それで孕《はら》んだのでさあ。

――孕んだ？　どういうことだ。

――どうもこうも。白木蓮はタツノオトシゴを孕んでおります。

——もしかすると、あの……

——蕾が。

長虫屋は頷《うなず》いた。濁った白目が急に血走ってきたように思われて不気味であった。しかし臆《おく》しているのを気取られてはならぬと思い、

——売る気はないぞ。

と、強く出た。

——ご主人。

長虫屋は、私の腹の底などとっくに見通していると云《い》わんばかり、きかぬ子に云い聞かせるように声を低めて、

——タツノオトシゴがいくらになるかお教えしたらお気も変わられましょう。

そう云ってある金額を呟いた。正直に云って私はたまげた。が、それが私の日常になじみのない数字であったのでかえって現実感が湧《わ》かず、気丈に出ることができた。

——君は私が金で意見を変えるような、節操のない男と見くびっているのか。不愉快だ。帰ってくれたまえ。

私の剣幕に誘われるように、庭にいたゴローが飛んできて、男に向けて唸《うな》った。男は犬嫌いと見えて真っ青になって帰っていった。

——よし、ゴローよくやった。いいか、夜中にでもあの男が来たら、吠《ほ》えてやるのだぞ。おまえは今夜から木蓮の下で眠れ。番小屋でも造ってやろう。

私は縁の下から木ぎれを取り出してきて、急ごしらえの小屋を造ってやり、木蓮の下に置いた。通りがかった隣のおかみさんが喜んで、

——おやゴロー、お引っ越しかい。良いお住まいじゃないか。出世したねえ。

などと云っているのが聞こえた。これはこれで真実を含んでいる。ゴローはその生来の甲斐性《かいしょう》で確実に自分の生きる場所を確保してきたのだ。

夜中に一度、ゴローが吠えるのを聞いた。夢うつつ、さては、あいつがやってきたなと思ったが、眠いのでゴロー任せにしておいた。明けてから確認したが、蕾はそのままであった。

——でかしたぞ、ゴロー。

首筋を両手で乱暴にごしごしとさすってほめてやった。ゴローは満足げであった。

それから数日間、蕾は次第に大きくなった。いよいよ明日は咲くかと思われた日の未明、掛け軸から波の音がし始めたと思ったら、がたがたと、高堂のボートの舳先《へさき》が床の間に乗り上げてきた。私はもちろんまだ寝床にいたのだが、この騒ぎですっかり目が覚めた。

——この狼藉者《ろうぜきもの》め。乱暴なことをするな。床の間が傷《いた》むじゃないか。

——すまんすまん、つい甘く見て勘が狂ってしまった。

口振りとは裏腹に、高堂は涼しい顔で現れた。

——今日は雷の孵《かえ》る日だろう、見物に来たのだ。

そしてずかずかと、座敷を横切り、表の見える縁の先に出て、

——おや、ゴロー、良い小屋を造ってもらったじゃないか。よくやったぞ。

ゴローは高堂の気配にさっそく近づいて、わん、と返事をしている。ゴローを飼うことに不服を唱え、小屋なんぞ造ってやるものか、と云った私の言葉尻《じり》を、高堂は今になって捉《とら》えているのだ。執念深い男である。私は面白くなくて、もう一度寝に付こう、と布団《ふとん》を被りなおした。

——おい、来いよ。一緒に見物しようじゃないか。

高堂が呼ぶので、

——ああ、もう、仕方ないな。

私は、えいやっと布団を蹴《け》り上げ、足音も荒く高堂のそばに座った。

外は白々と晴天の気配だった。ゴローもこころなし、期待しているような眼差《まなざ》しで木蓮の蕾を見つめている。突然、空気をつんざくような鋭い音の空雷《からかみなり》が鳴ったと思っ

たら、ほとんど同時に白い閃光が走り、木蓮の花びらがはらり、と落ちた。細い白蛇のような小さな竜が——なぜ竜と見なしたかというと、頭に小さな角が見えたので——、しゅうっとばかり、天をさして昇っていったのが見えた。

口をあんぐり開けて、思わず裸足《はだし》のまま庭先に出て、その後を目で追った。竜は白銀に光りながら、ただ一筋の光のようになって、空のかなたに消えていった。

——孵ったな。

——ああ帰った。

高堂も私もしばらく空を見つめていた。

——白竜だな。

——ああ白竜だった。

地面に散った白い花びらを、ゴローがじっと見つめていた。

木槿《むくげ》

間断なきツクツクホウシの熱狂も今は遠く、僅《わず》かに残るその声は、あるときは精も根も尽きたという風に力無く、またあるときは突然耳元で銅鑼《どら》を叩《たた》くように始まりそれもあっけなく終わり、ああ今年の夏もこのまま何ということもなく過ぎ去るのかと焦《あせ》りとも哀《かな》しみともつかぬ気持ちでいる。およそ日本に住まいして、此《こ》の地の夏を幾度となく経験した者で、ツクツクホウシの音の衰退に感慨を覚えぬものがあろうか。私が殊更《ことさら》にそう感じ入ったのは、土耳古《トルコ》に行っている友人の村田からの便りが届き、彼《か》の地ではツクツクホウシが鳴かぬということを聞いたからである。

先年、土耳古帝国からの使者を乗せたフリゲート艦、エルトゥールル号が帰国途中、和歌山沖で台風に遭い、船員650名中587名が溺死《できし》するという惨事が起こった。が、地元の警察隊を初め、漁民まで実に献身的な救助にあたり、土耳古帝国皇帝がいたく感激、両国の友好のますます深まらんことを願って、日本の考古学者を一名、土耳古文化研究のため彼の地に招聘《しょうへい》したのである。その枠に我が友、村田が選ばれたのであった。折角滅多に行かれぬ異国の風物を見聞するのであるから、日誌はまめにつけるように、たまったらすぐ此方《こちら》に送るように、とくれぐれも言い含めて送り出した。しかしあの男にそんな冴え冴《ざ》えしい文筆の才があろうとは思われぬ。いずれ発表するときは自分が手助けせねばならぬだろう。そのときは微力ながら最善を尽くす覚悟だ。

庭の東北の、一段高くなっている角に水取口があり、そこから疏水《そすい》の水が小川をつくって池に流れ込んでいる。その小川の両側だけはもそもそと何やら植わっているが、小高く陽もよく当たるその一角は、ほとんど丸坊主《まるぼうず》で荒れた砂山のような体をなしている。村田からの便りを機に、早速そこを土耳古と名付けた。村田のいる辺りは緑深くまたなかなかの都会であるらしく、日本人が土耳古と聞くとすぐに砂漠を連想するのは間違いであると云ってきたが、私の彼の地に対する思いの一端の表明として、風雅な命名であると思う。あそこに目が行くたびに、私は異国にある友、村田を偲《しの》ぶのだ。

その我が土耳古の丘の手前の方に低い燈籠《とうろう》がある。その横に、木槿の木がある。燈籠は彼の地を偲ぶ邪魔にはならない。土耳古は遺跡の発掘が盛んだそうで、石造りの燈籠は、風化しかけた石柱に見えないこともないので。が、土耳古に木槿はあるのだろうか。そこのところが甚だ心許《こころもと》ないが、木々は緑、と書いてくるぐらいだから、花ぐらい咲くだろう。花の中には木槿に似たものも、決してないとは云えんだろう、と自分に云い聞かせる。できることならゴローもあそこを歩くときは少しばかり羊の風情を出してほしいと思うが、さすがのゴローの能力にも限界があろうから、云わずにいる。

村田によれば、彼の地に聳《そび》える回教の寺院の多くはその昔基督《キリスト》教会であったという。オスマン・トルコが彼の地を征服した際、内部の壮麗な基督教モチーフのモザイクを、すべて漆喰で塗り込めたのだそうだ。無粋で乱暴な話だ。この漆喰を剝《は》がすことが許されたら——革命でも起きぬ限り無理だろうが——というのが今のところの村田の唯《ゆい》一《いつ》の望みなのだそうである。それはそうだろう、と私も同情する。塗り込められた聖母や基督が痛ましい。

手紙を手にして、しばしそういうことを考えていたせいであろうか、目を上げて我が土耳古の丘を見やると、そこに頭から白いベールを目深《まぶか》に被《かぶ》った女人が物憂《ものう》げな様子で立ち尽くしているのが見えた。まさか。私の思いに感応して、いきなり彼の地から御来臨なされたわけではあるまい。半信半疑で身を乗り出してみる。しかし露骨に見ては憚《はばか》られる気もして、思わず目を背けた。そして怖《おそ》る怖《おそ》るもう一度見るとやはりどうしてもそれは人の形に見えた。それも聖なる御方《おかた》のように。

朝から残暑のせいで煮詰まった寒天のようだった私の頭は、俄《にわか》に恐慌《きょうこう》をきたした。どうしたらいいのだろう。

畏《かしこ》まって座っているゴローが、女人を見上げているのが目の端に入った。やはりゴローにも見えているのである。

どうしたらいいのだろう。私にはそういう信仰はないというのに、寄ってこられても（降臨と云うべきか）どうしようもないではないか。それともここで信仰の道に入れというのだろうか。

悶々《もんもん》としながら、後ろ足で玄関の方へ逃げ出そうとした。とりあえず山寺の和尚《おしよう》と相談してみることにしよう、きっと私にない良い知恵を貸してくれるだろう。いや、待て。和尚のことだから、これは余程のことである、縁であるから入信してしまえ、と興がって云うに違いない。

玄関先で考え込んでいる私の目の前を、庭の方から出てきたゴローが鼻歌混じりで——というのは誇張であるが、ほんとにそういう呑気《のんき》な調子で——散歩に出かけた。おい、そんな悠長な風をして、もう、あの御方はいいのか、と思わずその後ろ姿に縋《すが》るが如《ごと》く問いかけようとして、思い直し、今度は庭先から土耳古の丘の方をそうっと見てみることにした。

あの御方が立っていたとおぼしき辺りには、例の木槿の木が白い花をつけて立っているばかりであった。まさかあの花をまちがえたというのか。いやいや、あれは確かに人の形をしていた。その両の手を合わせておられた。私は慌《あわ》てて家の中に戻り、もう一度先程と同じ角度から確認しようとした。

するといつの間にか座敷には高堂がいた。縁側に置いていた籐椅子《とういす》に腰掛けている。私は藁《わら》をも摑《つか》む気持ちで、

――おお、高堂。大変だ、大変なことになった。

――知っている。賓客が出たのだろう。

慌てふためく私にいっさいの同情もなく高堂は云ってのけた。世界は全《すべ》て自分の手の内、というような涼しい顔が小憎らしい。

――なぜ知っているのだ。いや、おまえも知っているだろう、あの村田が今土耳古に行っているのだ。それで彼の地で封印された聖母の話を手紙に書いてきた、それを読んでいて思わずあの方に同情したのだが、それがいけなかったのだろうか。

――当たらずといえども遠からず、というところか。どうだ、今、見えるか。

おお、そうであった、私はそれを確認に来たのだった、と急いで土耳古の丘に目を

遣《や》ると先程よりは大分薄ぼんやりとして、花と混じってきているが、まだ人の輪郭を残しているようにも思える。

――さっきはもっとはっきりとしていたのだ。

――そうだろう。あれは毎年そうだ。もうじきすっかり消える。木槿が満開になる頃、それを助けとして立ち現れるのだ。季節ものの蜃気楼《しんきろう》のようなものだ。木槿の横に小さい燈籠があるだろう。

――ああ。

――あれは埋め込まれてあの低さになっている。土に埋め込まれている部分には、地蔵菩薩《ぼさつ》が彫られている。が、地蔵菩薩は実はマリア像に見立てられているのだ。それでマリア燈籠と呼ぶものもある。元々は織部好みの燈籠として茶人の間で拡《ひろ》がったのだが、その部分を埋めて隠れキリシタンの礼拝に使われたこともあるらしい。

私は啞然《あぜん》とし、それから、

――それでは、掘り出そう、高堂、掘り出してきれいにして差し上げようではないか。

と、息せき切って云った。高堂は少しうんざりしたように、

――おまえはどうしてそう単純なんだ。俺は当時――初めてあの現象を見たとき、

まだ幼かったが、それでもそのとき一緒にいた叔父にこう云われて納得したのだ。信仰というものは人の心の深みに埋めておくもので、それでこそああやって切々と美しく浮かび上がってくるものなのだ。もちろん、風雪に打たれ、堪え忍んで鍛え抜かれる信仰もあろうが、これは、こういう形なのだ、むやみに掘り出して人目に晒《さら》すだけがいつの場合にも最良とは決して限らないのだ、ことに今ここに住む我らとは、属する宗教が違う。表に掘り出しても、好奇の目で見られるだけであろうよ、それでは、その一番大事な純粋の部分が危うくなるだけではないのか、と。

そう落ち着いた声で云われると、自分の性急さが浅はかなものに思われてくる。よし、この言葉をそのまま村田に書き送ってやろう。聖母や基督は、漆喰の下に塗り込められて、案外守られているのかもしれん、と。

私が自分の思いつきに秘《ひそ》かに悦に入っていると、

――ほら、綿貫、消えてゆくぞ、儚《はかな》げで美しいなあ。来年もまた出てくるぞ、きっと。

高堂は籐椅子に座ったままいつになく遠い目をして木槿を見つめていた。

もの悲しいような熱のとれた風が吹いてくる。さすがに夕暮れにもなると、晩夏は夏とは違うと気がつく。

ツリガネニンジン

河童《かっぱ》が二、三日逗留《とうりゅう》していたようだったが、ゴローがまた朽木村まで送っていった。——河童はなれなれしいところがあるから、あまり深入りしないようにゴローに云《い》っておかないと。今度のはわざとらしい。

隣のおかみさんが憂《うれ》いのある眼差《まなざ》しで忠告してくれた。もう道も分かっているだろうから私も帰り道までは心配していない。しかしあまり頻繁に河童がやってくるようになっても確かにどうかと思われる。取水口を壊されても困る。どうしたらいいだろう、とおかみさんに訊《き》くと、

——さあ……百足《むかで》封じのお札はそこの毘沙門《びしゃもん》さんで売っているけれど、河童封じというのはねえ。わかりました、一度調べておきましょう。

ということであった。

河童の件はおかみさんに任せて、私は急ぎの原稿を駅舎までもっていった。用事が

済んで気楽になる。駅舎の南側は、旧東海道であるから、昔ながらの茶店や団子屋が軒を並べている。昔は旅籠《はたご》の類《たぐい》も多かったようであるが、今はそれと察せられる建物も僅《わず》かに欄干を残すのみ、間口の広い軒先に、障子の戸をぴたりと閉ざし、ひっそりとして昔日《せきじつ》の面影もない。

吹きくる風に一筋の冷たい線が混じっている。初秋と呼ばれる季節になったのだ。空が高い。雲が薄い。涼しい鈴の音が、チリンと響いてくるのは、どこかの軒下に吊《つ》されている、夏の名残の風鈴だろうか。

ふと、二階が開け放たれている家が目に入った。一階の風情《ふぜい》から、これも店仕舞いした旅籠のひとつであろうと思われるのに、欄干に若い娘さんがもたれている。一人二人、ではない。六人もいる。こちらに品のいいおとなしい、しかし人なつこい笑いを向けてくる。私もよくは知らぬが、その手の類の商売だと、もっと盛んな嬌声《きょうせい》などあってしかるべきではないか。それがただ静かににこにこと、人なつこい巫女《みこ》（そういうものがいればだが）のごとく笑いかけてくるのである。何か、私に用事でもあるのだろうか、しかしいったいどういう集まりなのだろう、決してだらしのない服装というわけでもない。

そこでぼうっと、上を向いたまま口を開けて立ちすくんでいたのはいかにも間が抜けて見えたのであろう、すれ違いざま、ご気分でも、と声をかける人がいた。見れば肉屋の主人である。その若い頃、文明開化の波に乗っていち早く肉屋を開業した先見の明のある人物である。

——いや、この辺り旅籠は皆閉業したとばかり思っていたが、残っているところもあったのだなあ、と……。

私は目で娘さんたちのいる欄干を指した。が、そこはきっちりと戸締まりしてあった。私が通行人と話の種にしたのを嫌ったのだろうか。それであっというまに締めてしまったのだろうか。

——あそこは一等早く締めてしまった旅籠屋です。

肉屋はにべもなく云った。私はひどく間の悪い思いをした。肉屋も自分の謂《い》いにあまりに愛想がなかったと思ったのか、

——今日はその先の宿神さんのところで、管弦の集いがあったのですよ。

——ほう。

——もともとは琵琶《びわ》法師たちの集まりで、それが、琴や尺八などたしなむ盲人の、祀《まつ》りになったらしい、それもここ何年もやらなかったのを、今日。

——祭り、ですか。

——人康《さねやす》親王といって、仁明《にんみよう》天皇の四番目の王子で目が不自由に生まれついた方——いえいえ蟬丸《せみまる》とは違います——の小さな御陵があるんです、そこで平家を初めとした、報われない御霊《みたま》をお慰めする、祀りが、あったのですがね、私の子どもの頃までは。それが今日またやるというので、つい、懐《なつ》かしくて、商売の合間を縫ってきたというわけです。

——はあ、なるほど。

ではまた店の方にも寄ってくださいと愛想を云って、肉屋は去っていった。

それでは、さっきから鈴の音が聞こえてくるように思っていたのは、その杖《つえ》につけられたものだったのかもしれない。もしくはその管弦の曲の中で用いられた何かの音だけが響いて耳に達したのかもしれない。

帰る道すがらも、その音は、初秋の風に混じる一条の涼しさのように、響いては消え、消えては響き、高い空を漂っているかのようだった。

家の前まで戻って、ぎょっとした。

先ほどの六人の娘さんが、家の二階の欄干からにこにことこちらを見ているのである。

慌てて家の中に入り、まっすぐ二階へ行くが、やはりそこにはだれもいなかった。

隅々まで見て回ったが、人のいた形跡はない。娘さんたちのいた欄干から下をのぞくと、果たして彼女たちが玄関を出て楽しそうに、くるくる回りながら、庭の方へ列をなして行くのが見えた。

もちろん、脱兎《だっと》のごとく階段を下り、庭へ行く。しかしそこにはもう誰もいない。遠い空で、また鈴の音が聞こえた。秋がどんどん透きとおってゆくような音だとちらりと思った。

サルスベリの横から、土耳古の丘の所まで、何かを調べる人のように歩いた。するとと土耳古の丘の一番高いところにツリガネニンジンがすうっと茎を伸ばし、薄青の釣鐘型の花を六つ、つけているのを見つけた。

ああ、あの鈴の音はここに凝《こ》ったのだと得心した。

南蛮ギセル

疏水《そすい》べりを歩いていると、ススキの穂も立ち始め、夏の頃とは大分空気の質も変わってきたのが分かる。虫の声もいよいよ姦《かしま》しくなった。季節の営みの、まことに律儀《りちぎ》なことは、ときにこの世で唯一《ゆいいつ》信頼に足るもののように思える。

今日はしかし風が強い。川下から強いのが来たと思うと、見る間に一山の木々がさあっと白い葉裏を見せ、翻《ひるがえ》る。思わず立ち止まり、目を奪われる。どうだと云わんばかりの山の様が癪《しゃく》なので、「二百十日」と呟《つぶや》いてみた。すると向こう岸の藪《やぶ》の中から鳥打ち帽を被《かぶ》った男が出てきて、こちらを認めた。そのときは判然としなかったが、その男が橋を渡ってこちらとすれ違うに至ってようやく長虫屋と判明した。そのとき嫌に彼《か》の男が大きく見えた。山を背景にして不気味に大きいのである。そして急にこちらがわけもなく心細く思えた。すれ違ったのは一瞬のことであった。向こうは私を認めていたと思う。それが証拠に帽子の庇《ひさし》の陰で確かににやりとした。しかし一言も発しなかった。

それだけのことであったのに、この奇妙な不安は何だろう。当然向こうから挨拶《あいさつ》がくると思っていたのだ。それがなかった。そのことが業腹《ごうはら》なのか。しかしつらつら考えるに私は向こうに何もしてやった覚えはないのだから、彼から挨拶を期待する筋ではないのである。私は長虫屋を勘定高い男とどこかで軽んじていた。私のそういう傲《ごう》慢《まん》が、彼の男の無礼でしっぺ返しを食らったように当惑しているのだろう。

無礼はお互い様だ。それはいい。けれど私が引っかかっているのは、あのすれ違いざまに感じた奇妙な心細さだ。その引っかかりがずっとつきまとっている。時折足下をすくわれそうに強い風が吹く。私の足は和尚《おしょう》の山寺に向かっていく。坂道を上り着くと和尚が戸締まりをしていた。

——こんな日によく来たな。

——二百十日ですか。

——二百二十日だ。敦賀《つるが》に抜ける街道筋の神社で風鎮《かぜしず》めの祭りをしているのだ。それでこの間から風虫が湧《わ》いてきて、これはいよいよ来るなと思ったら、案の定この風だ。

——風虫とはあれですか、やけに手足の長い、蠅《はえ》よりも細身の……。うちの庭にも昨日やたらにぶんぶんしていたが。

——それよ。風を予見して一斉に湧くのよ。

——それでどうなるのです。

——風に乗っていってしまう。

——神社へですか。

——知らぬ。だが社に着いたときはもう実体はない。

和尚と話していると次第に禅問答のようになる。大体、虫が風に乗って花園ならともかく神社に向かう、などと、多少なりとも自然科学を学んだものには思いもつかぬ発想である。しかし我が和尚の非凡さはそれのみにとどまらなかった。

——大気がこれだけ騒ぐといろんなものが出てくるのだ、君のところのサルスベリもよく見てやれ。

私はサルスベリのことまで和尚に話した覚えはなかった。これがいわゆる眼力というものであろうか。大いに敬服してスタコラと寺を辞した。

帰る道々、ゴローのことが気に掛かった。どうせどこかの景勝地で便々と道草などを食っているのであろうが、こんな天候で心細い思いをしてはいまいか。心細い思い——というので、また先ほどの長虫屋の一件を思い出した。思えば人間として生計を立てる手段、生き抜く術《すべ》を知っているという点では私ははるかに長虫屋より劣るのである。素の人間として相対したときほとんど格下といって良かろう。それが今まで彼にそれほど臆《おく》しもせずにいられたのは、ひとえに私があの家を背景にして彼に対していた故《ゆえ》でなかろうか。云わば家付きの状態で私は彼と対等に話が出来、こうして家を離れると途端に心細く、たまさか彼に出会うと気圧《けお》されてしまうのではないだろうか。家を離れた私はつまり、殻を取られたマイマイ、蓑《みの》を剝《は》がされた蓑虫のようなものではないか。

　この推論は私の気分を害した。

　私は考えるのをやめて急ぎ家に戻り、床下から長い棒と綱紐《つなひも》のまとめたものを取りだし、サルスベリの大枝をつっかい棒で支える算段をした。雨風が強まっていつかのように座敷に入りたがっては困る。サルスベリは心もち迷惑そうなそぶりであった。

　夜になっていよいよ風雨が強まってきた。洋燈《ランプ》をつける。電燈《でんとう》はこんな荒れた夜は全く当てにならない。それでなくとも普段から洋燈と蠟燭《ろうそく》の備えは欠かせない。電気などという、手にとって確かめられもせぬものは、やはり信用せぬに越したことはない。そうだ、斯《か》くの如《ごと》く私はもともと、非常に現実的な人間なのだ。それがここの家に来て高堂と話をするようになってから、なんだかどんどん変な具合になっていく……。

　こういう思考が、実は長虫屋と遭遇した余波であることは薄々察していた。自己を嫌悪《けんお》する気持ちが八つ当たり的に展開しているだけのことである。そしてそれは更に自己嫌悪感を深める結果となる。こういうのを悪循環という。分かっていてやめないのを自虐《じぎやく》的という。

　――ふさぎの虫に取り憑《つ》かれているな。

いつの間にか高堂が来ているのにも気づかなかった。私は頷《うなず》いて、

――自分の取り扱いに、難渋している。

――大気がこれだけ騒ぐといろんなものが出てくるのだ。

これは昼間和尚が云った言葉と全く同じだったので、驚いて、

――何が出て来ると云うのだ。

――分かっているだろう。

そう云われると分かっているような心もちになってきた。

――今夜は長く居てやる。

高堂は恩着せがましく云うと、縁側に行き、何やらがさごそしていたが、すぐに帰ってきて、

――風虫が一匹、戸の隙間《すきま》に挟まって動けなくなっていた。今、外に放してやった。

それがそれほど大事なことか。しかし私は急激に眠くなり、そのまま朝まで高堂が帰ったのにも気づかずにいた。

朝になって庭に出てみると、空は澄み切り風も治まり、ススキの根方に南蛮ギセルの水気のない枯れたような花が出ているのに気づいた。この花はススキの寄生植物である。しかし不思議な浮世離れした感じがあって私は好んでいる。

私は今朝、南蛮ギセルが出てきたのを嬉しく思った。

紅葉

野分の次の日、疏水をのぞくと、鮎《あゆ》の群が驚くほど幾つも川面《かわも》すれすれに見えた。どこかに向かって泳いでいるというよりは、身をくねらせて互いにじゃれ合い流れに乗っているだけのように見えた。確かに増水している。湖に設営してあるエリが壊れたのだろうか。

あまりに稀《まれ》な景色なので、出来うることなら大音声《だいおんじょう》で近隣に知らしめたく思う。普段この辺で釣り人が竿《さお》を垂れている光景を目にすることはあったが、大して釣果《ちょうか》があるようには見えなかった。こういうときに限って人っ子一人いやしない。

鮎の群は、彼方《かなた》に一塊り此方《こなた》に一塊りというように、いくつも浮いて見えた。

首をひねりながら家に戻ると、門の前でゴローといっしょになった。嬉《うれ》しそうに尻《しっ》尾《ぽ》を振っているが、風体《ふうてい》は野良《のら》である。やつれている。昨夜《ゆうべ》の雨風が余程こたえたのだろう。

――忘れずに帰ってきたのか。

此方を見捨てずに、と云《い》いそうになるところを、慌《あわ》てて云い換えて頭をさする。勝手から卵を一つ持ってきて、皿に割ってやる。帰宅祝いである。ゴローは殆《ほとん》ど息もつかずにあっという間に舐《な》め上げた。それから留守の間の点検でもするように、敷地内をくんくんとせわしなく嗅《か》いで歩いた。池の方へ回ったと思ったら、突然此方に顔を向け、一声叫ぶ。いいからこっちへ来てみろ、ということであろう。呼ばれてそそくさと行く。行って驚く。池に突き出た石の上に、鮎が腕をついていた。上半身が女人なのだった。思わず声を挙げると、慌てたのか魚の下半身から滑り落ちるように池の中に飛び込む。駆け寄り膝《ひざ》をついて池の中をのぞき込む。泳いでいる。

長い髪が後ろに流れて上半身を覆《おお》っておるので、両手を体側に付けている限りはそれほど目立つこともない。軽く身をくねらせて、俊敏に泳ぐ様は鮎そのものだ。

この池は取水口から疏水の流れを取り入れ、下手の出水口から、夏場は用水路へ、秋冬は地元の川へ流している。池に入ったものが流れてしまわないように出水口には網が被せてある。故にここから先に流れて行く心配はない。

どうしたものか。

気遣わしげなゴローを残して家に入る。しばらく思案に暮れ、ふと、そうだ、サギに気をつけなければ、と思い立つ。養魚場にあるように、池の上に網を張ろうか。それがよい。

となると、一刻も早く網を調達しなければならぬ。私は立ち上がり、とりあえず玄関口を出ようとした。別にどこと云って当てがあるわけではない。そこへ後輩の山内がやってきた。そうだった、西陣の織物業界が出している得意先配付用月刊誌の随筆の原稿を取りに来たのだ。これは、彼が苦労して取ってきてくれた仕事なのだった。ああしかし、最後の詰めがまだなのだった。私は彼が口を開くより前に、

――おお、山内君じゃないか。ちょうどよかった、君は網を持っていないか。

――なんだかお取り込みのようですね。網って、魚でも焼くんですか。

私は胸が悪くなった。

――焼かない。

――餅《もち》には時節柄早いですよね。

――魚も餅も焼かない。池の魚にサギが悪さをしないように網を張ろうと思うのだ。

――ああ、その網。

山内は根が気のいいやつなので、本来の用事も忘れて(と見えた)真剣に考え出した。

――そうだ、庭球部に頼んでネットの古いやつを拝借してはどうでしょう。

――ネットか。幅が狭くはないか。

――ずらしながら折っていって、重なりを結わえ付けておけば何とか池を覆うぐらいになるでしょう。

――しかしいくら古いといって、貧乏学生の寄り集まりの学校だ、そうおいそれと貸してはくれまいよ。

――それが、最近子爵《ししゃく》の令息が入ったんで羽振りがいいんですよ、あそこは。

――なんでそんなやつが。

――さあ。馬鹿《ばか》じゃないことは確かですね。

――ふん。

金もないのに気概だけは盛んなところが我々の共通点である。こういう場合、その子爵の何とかが頭脳においても遙《はる》かに我々を凌《しの》ぐということが分かって面目をなくするのが落ちなのだが。

——OB会で時々コートを借りるんで、そのとき話を付けてきましょう。

——いや、それでは困る。一刻も早く、頼む。今からでも交渉しに行ってはくれまいか。

私は熱心に頼んだ。さすがの山内も何か察するものがあったのだろう。

——分かりました。そしたら急ぎ行ってきますから、その間に原稿仕上げて置いてください。交換でネットを渡しましょう。

ううむ、立派な社会人だ、と半ば感じ入り、半ば焦《あせ》った。渋い顔でうなずき、茶も飲まずに来た道を急ぎ帰ってゆく山内を見送ると、二階の書斎に上がった。

この原稿の注文は、季節感をはっきりと打ち出してくれというだけであるのだが、簡単なようでいてこれがなかなかまとまらない。

原稿用紙を前にうんうんと唸《うな》っていると、後ろから声がした。

——なんだ、そんな原稿に難渋しているのか。

高堂であった。突然だったので私は驚いて声を出し、思わず腰が浮きかけた。

——今ほど季節のことの書きやすい時節はなかろう。秋へ移ろうときだ。

——そんな簡単なものではないのだ。今のことを書いておったら、雑誌になるときは季節外れになる。先を読んで書かねばならぬのだ。これが実感がなかなか湧かぬものなのだ。

――君のように馬鹿正直なやつには難しいだろうな。

簡単に納得されて私は癪《しゃく》に障《さわ》った。

――季節の移ろいなどおまえには関係なかろうに。

――それが大ありだ。昨夜大風が吹いて、湖の禊《みそ》ぎが済んだので、竹生島《ちくぶしま》の浅井姫命《みこと》のところへ、竜田姫が秋の挨拶《あいさつ》にいらしたのだ。そのときの行列が一部、隊を崩して乱れた。侍女が一人、行方不明だ。

――竜田姫は湖を渡って竹生島へ行かれるのか。

――禊ぎの終わった澄んだ大気をお渡りになる。その行列の湖水に落ちた影が鮎に宿る。

――その隊列が崩れたのか。

――山々の紅葉し始めたのが、川に落ちる、それが湖の真ん中に吹き寄せる、それを好物にしているモミジブナが湖の北、岩礁《がんしょう》の奥から出てくる。今回それが竜田姫の竹生島参りとぶつかり、少々混乱を来《きた》したのだ。竜田姫は例年その挨拶の後、坂本の日吉《ひえ》神社に渡られ、侍女たちは鮎から猿に乗り換え、叡山《えいざん》を越えた後吉野を目指されていたのが、今年はその侍女一人のために竹生島に足止めをくっておられる。

分かったような分からぬような。なぜそのために高堂が奔走しているのか。その浅井姫が客人のために気を揉《も》んでいるのを見かねてのことか。

――浅井姫命とは何ものか。

――この湖水をおさめていらっしゃる姫神だ。

――親しいのか。

私の質問に変な熱が加わっていたのか、高堂はそっぽを向いた。

――お見かけしたことはある。が、住む世界が違う方なので親しいというわけではない。

――そういうものか。

――そういうものだ。

浅井姫の話はまた今度ゆっくりと聞かせてもらうことにする。

――で、おまえはその侍女を捜しに回っているのか。

――もうとっくに見つけている。

高堂は私を見てため息をついた。

――竜田姫の一行は今夜月の出と共に立つ。それに間に合わなかったら後は知らぬと伝えてくれ。

そう云い置いて、階段を下りていった。

竜田姫か、と、私は思わぬ拾い物をした気分で原稿の続きを書いた。

葛《くず》

黒い小さな虫が腕の辺りを歩いていて肘《ひじ》の近くで止まった。そのままそこに馴染《なじ》んだ、と思ったらほくろになってしまった。こすってもとれない。しかしさっきまでは確かに虫だった。私の肘の小さなほくろなど、誰も気づきはしまいが不思議なことである。些細《ささい》なことであるから、まあいいだろうと鷹揚《おうよう》に構えていたが、どれくらいの不思議まで人はそういって許せるものなのか、ふと気になった。

が、まあ、いいだろう。目に映ることを記録しておくまでだ。

原稿は、竜田姫が晩秋の綾錦《あやにしき》の衣を仕舞い込む、というような寓話《ぐうわ》的な終わり方をした。そのところへ、山内がネットを担《かつ》いでふうふう云いながら帰ってきた。部室には誰もいなかったので、置き手紙だけして黙って持ってきたというのである。

——なに、どうせしまってあるだけなのですから、ここで保管していてもかまわんでしょう。所在は分かっているのだから、要り用な時は云ってくるでしょう。

豪気なことである。

——やあ、なるほど鮎《あゆ》がいる。

女人の鮎は、池に被《かぶ》さる濃いツワブキの陰に休んでいてはっきりとは見えない。

——あれがまあ、人魚のようなのだ。

——そういうようにも見えますね。

山内はちらりと目を遣《や》ったきり気にもとめずに作業を続ける。私が彼女を発見したときの狼狽《うろた》えを思うと、こちらの小心ぶりが嫌になるほどだ。こいつは思っていたより人物かもしれない。

適当な縄がなかったので、裏山で取ってきた葛の蔓《つる》でネットの重なる部分を結わう。池の周りに細い竹棒を立てて、ネットの穴に引っかけ、すっかり池を覆った。

——ここは高堂先輩のご実家だったのですよね。

山内は縁側に腰掛けて、持参してきたひやしあめを飲んだ。

——ああ、ときどきくるよ。さっきもきた。

――そうでしょうねえ。ここは湖からも水が引かれているし。僕も会いたいものだなあ。先輩は萩《はぎ》の浜で漕《こ》いでいたはずなのに、ボートが見つかったのは竹生島の辺りだった。何であんなところまで、と思ったものです。

――そういえばそうだったな。

私も山内奢《おご》りのひやしあめを飲んだ。あのときは皆で対岸まで必死で探したものだった。けれど生身の高堂はとうとう見つからなかったのだ。

――ご存じでしたか。竹生島の辺りは湖でも極端に水深が深く、底は氷河期からの水だそうです。沈んだ死体は浮かび上がることはないが、沈んだときの若さで、いつまでも腐ることなく保存されているとか。

――ああ、知っている。一緒に聞いたのではないか。

それは地元の漁師が云っていたのだ。まるで心強い何かの慰めでも云うように。

――湖に魅入られたのか、先輩が湖に魅《ひ》かれていったのか。

――さあ。同じことが同時に起こったのかもしれん。浅井姫がどうとか云っていたから。

――ふうん。

山内の目が不穏な光り方をした。

——それ、書いて下さいよ。

私は危うくひやしあめを取り落としそうになった。

——それとは、高堂のことか。

——そうです。高堂先輩のこと、人魚のこと、等です。

そんなものが小説の体をなすのか。私には見当もつかず、面食らった。

——私は日常生活をそのまま書き込んで文学でございとするのは好かん。

——好きも好かんもないでしょう、このまま大した傑作も書かずに一生を終える気ですか。

思い切ったことを云うやつである。

——僕だって高堂先輩のことがもっと知りたい。

山内は心もち下を向いてぼそっと呟《つぶや》いた。そういえばこいつは昔から高堂贔屓《びいき》だった。

——待て、一応本人の許諾を得ねばならん。化けて出られても困る。……いや、もう出ているのか。

——いいでしょう。きっと先輩は面白がりますよ。

山内は自信ありげににやりと笑って帰っていった。

急に静かになる。ゴローは隣に行っているのか、姿が見えない。私は座敷にごろんと横になった。

高堂のことを書く――いやいやそれは、もっとあとだ。今はまだ書けない。しかし覚え書きのようなものは書き留めておいてもよいだろう。私は思い立ち、二階へ上がった。

窓に近づくと、サルスベリの長く伸ばした梢《こずえ》が触れる。さっき高堂が出ていくとき何か云った。それが思い出せない。

上から下を見下ろすと、池の全面に網がかぶせてあって、まるで捕らわれ人のようである。これでは人魚も石の上でくつろぐということもできぬだろう。もう少し、網を高くしてやろう。そう思いついて、また階段を下り、庭に出た。もういつのまにか夕闇《ゆうやみ》が迫っている。池でチャポンと音がする。

人魚が首から上を水面からだし、腕を伸ばして、黄昏《たそがれ》に滲《にじ》む、艶《つや》めかしいような一点の赤紫の闇を指した。よく見ると葛の花だ。縄に使った葛の蔓に、山内が咲きかけの花房を残していったと見える。

網の上から手を伸ばし、一番最初に開いたその一つをちぎり、池に落とした。赤紫の闇が、鏡のような池の面に浮いた。

萩《はぎ》

――天女の羽衣、ということを知っているか。

寝しなに突然枕元《まくらもと》で声がした。思わず飛び起きた。高堂だ。分かっていても慣れぬものだ。

――びっくりさせないでくれ。何か前触れのようなものをくれ。

私は本気で頼んだ。

――もうし、とでも声をかけるのか。驚かせるのは同じだろう、そんなことより天女の羽衣だ。

――知ってるさ。漁師が天女の羽衣を隠して女房にする話だろう。

――あれは、湖北のさらに北にある、小さい湖で起こった話だ。

――そんなに近かったのか。その湖なら知っている。

――あの話の要諦《ようたい》は、男の所有欲の戒めだ。

珍しくもってまわった云《い》い方をする。

――それがどうした。

――おまえはあの人魚をどうするつもりだ。

まるで考えていなかった。が、まだ完全には覚醒《かくせい》していなかった私の頭は私が考える前に勝手に口を動かし始めた。

――シューマイヤーという独逸《ドイツ》語教師がいただろう。

高堂は遠くを見つめるような顔をして、

――ああ。

――基督《キリスト》降誕祭の夜、何人かをご自分の家庭に招いてくださったことがある。独逸から家族で来日していらした。

――うん。

――娘さんが、その夜、ローレライを歌ってくださった。それが忘れられない。

――ふうん。

私は自分でしゃべって自分で驚いていた。そう云えばそんなことがあった。あの人魚が岩に座っているのを見たとき、私の頭の中でローレライが鳴り響いたのだ。それがどこに由来するものなのか、意識していなかったが。私が自分の言葉にぼうっとし

ている と、

——おまえは大体己れというものが見えていない。ものごとの機微というものも分かっていない。そんな了見でものを書こうというのだからつくづくあきれたやつだ。とてもおまえのことを書かせてくれなどと云える空気ではなくなった。いちいちもっともなので救いのないような気分になる。

——己れが見えているというのはどういう状態なのだ。

念のため訊《き》いてみる。

——まあ、誰でも見えていないと云えばそうなのだが、おまえのようなやつも珍しい。しかしだから僕なんぞを引き寄せたのだろう。

これは心外である。

——俺は頼んでおまえに来てもらった覚えはないぞ。

——だから己れが見えていないと云うのだ。

禅問答のような具合になってきた。こういう展開は苦手だ。おお、そうだ、と頭に閃《ひらめ》くことがあった。

——もしかして、ソクラテスの大いなる無知、というやつか。

高堂はぐっと押し黙った。ややあって、

――まあ、そんなところかもしれぬ。

と、ため息をついた。私は少し失地回復を果たしたような気になり、

――山内が君のことを書いてはどうかと云ってきた。

おそるおそる云ってみた。

――ふん。

その、「ふん」がどういう意味の「ふん」なのか、真意を測りかねていると、

――ここから南禅寺山麓《さんろく》までは近い。もうすぐサルが一匹来る。おまえの天女はサルに乗って、南禅寺で叡山から東山を南下してきた一行と合流する。それでいいな。

それだけ云い置くと、さっさと帰っていった。

明くる朝、庭に出ると、池に鮎が一匹――正真正銘の鮎だ――所在なげに泳いでいた。昨日落とした葛の花はなく、同じ形を細く小さくした、寂しい萩の花が代わりのように浮かんでいた。

網を片付けねばならぬ。

ススキ

十五夜なので、ススキなど採ってくる。縁台に、床の間から持ってきた口の欠けた花瓶を置きススキを挿しておく。これだけでも風流の心もちがするのだから、大したものだ。団子は省く。

午後からゴローを連れ、街道を越して家の東南の方角に位置する牛尾山を目指す。確たる目的があったわけではない。空気の冴《さ》え冴《ざ》えとした秋晴れの日だったので、ふらふらと野に遊び山を彷徨《さまよ》う古代の血が騒いだのだろう。

牛尾山の麓《ふもと》は昔ながらの農家が点在するのどかな里だ。田は今まさに実りの時を迎え、先日の野分《のわき》で、倒れたる箇所も此処彼処《ここかしこ》に見えるが、稲穂は黄金色に輝き、土手には燃えるような彼岸花が咲き誇り、農家の庭先には家々を巡るように、透き通った流れが趨《はし》っている。その岸辺の草ぐさの伸びたところを洗っている浅くなった場所から、ゴローは水を飲み、私は通りに面したその家の、縁台にしつらえてあった団子を失敬した。これはこの辺り、街道沿いの村々では大目に見られている風習である。そういう遠慮のない通行人のために、茶など用意してくれているところもある。高い空にアキアカネが舞っている。

山に近づくに連れて道は細く勾配《こうばい》が急になり、民家は少なくなる。麓に用水を供していた流れの、おおもとと見える川が、深めの沢をつくって、ざあざあと鳴る。その横を歩く。少し肌寒いぐらいだ。頭上にはまだ赤くなりきらない青い楓《かえで》がさわさわとそよぐ。脇《わき》の崖《がけ》の上に波切不動の小さな祠《ほこら》がある。こういう路傍の小さな祠には何かしら人を惹《ひ》きつける力があるようで、花の供えてあるのが見てとれる。そもそもなぜ波切不動なのだ。近くによって由来書きを見たい気がするが、その吸引力も犬には通用しないらしい。ゴローはさっさと通りすぎて行く。

やがて山頂とおぼしき野原に出る。立て札があり、このまま醍醐《だいご》寺の奥の院まで出ることも可、また音羽山を湖の方へ回り、石山寺まで行くも可、としてある。石山寺は彼《か》の紫式部が籠《こ》もって、源氏物語の何の巻だったか書き上げた場所である。まだ参詣《けい》したこともなかったので、そちらに遠征することにする。

イノシシの臭《にお》いでもするのか、彼方《かなた》の茂み、此方《こなた》の藪《やぶ》と、ゴローがせわしげに鼻を突っ込んでは上ったり降りたり走り回っている。よほど姿が見えないようだと、大声で呼べばしばらくするととんでもない方角からクマザサ等を揺らして帰ってくる。

やがて日がだんだんに傾いてくる。木々の重なりを貫いて射《さ》してくる落陽は、次第に黄金の濃さを増してくる。突然開けたところへ出たと思ったら、野は一面、赤茶に近いような濃い金色に染め上げられていた。役所のたてた植林計画とかで、雑木を切り捨てた跡だろう。夕暮れの冷たい匂《にお》いと共に、木の香がまだ漂ってくる。

やがて東の空から月が昇った。なるほど欠けたるところなしの満月である。しばらく観《み》ていたが、なんだかじっとしておれなくなる。ふらふらとまた山道を歩む。木々の梢《こずえ》が厚く重なり合っているところはさすがに暗いが、月の光の届く程度に開けているところが多く、心丈夫である。

道は下る上るを繰り返し、どんどんと上って行くといつか音羽山も過ぎ、石山寺の上まで出た。かれこれ数時間は歩いてしまったのだ。

この辺りは、木を切られて一夏を越したのであろう、すっかりススキが原と化している。月の光が、平らな山頂を隈《くま》無く照らす。まるで真昼のように明るい――が、明らかに昼ではない。影もできる――が、陽の光で出来た影ではない。今にもあわあわと勝手に動き出しそうである。

まるで何かの印のように、外れに一本だけ残してある楢《なら》の木（詳しい種は暗いので分からぬ）の傍に立つと、そこは展望まことによろしく、眼下に景色が拡《ひろ》がっているのが見えた。左手に湖、前方にその湖から流れ出る唯一《ゆいいつ》の川——この湖に流れ込む川は数多くあるが流れ出る川はこれ一本のみである、少なくとも疏水《そすい》が出来るまでは——この川がやがて流れゆく先の地でそれぞれ名を変えつつ、大洋へと繋《つな》がっていく。地図上でくねる様子はまさに龍《りゅう》そのものだ。その黒い流れも月の光を浴びてさんざめき美しい。あまりに美しいので、私は地面に腰を下ろし、ぼうっと眺めている。ゴローも分かるのか分からないのか分からないが、同じように川を眺めている。

夜がだいぶ更《ふ》けても、月はまだ皎々《こうこう》と中空にある。

寺で観月の会でもあったのだろう、男女の一群が笑いさざめきながら上ってきた。しかし通り過ぎざま気味悪そうに沈黙したのには気分を害した。考えてみると、なるほど夜中に一人でぽつねんと山上にいるのは気味悪かろう。

名月だ、今宵《こよい》一晩、野に寝《やす》もう、と思い立ち、近くのスキを倒して横になるが、これが結構寒い。ゴローを近くに呼び、暖をとる。ゴローはいつになく落ち着かず、じっとしていないので叱《しか》りつける。

しばらくすると何やらざわざわ人の気配がする。さっきの一群かと思うとどうもそうではない。半身を上げると聞こえない。地面に横になると、やはりざわざわと気配がする。大勢の人が月を愛《め》でているような歓声まで聞こえる。うるさいので、横になるのをやめ、楢の木にもたれて寝ようとする。もたれると、また聞こえる。

そこへ、下の寺の方から上がってきたものがある。おや、一人だ、同じような風体をして、と思っているとゴローが立ち上がり尻尾《しっぽ》を振り始めた。よく見ると高堂だ。

——またおまえか。

内心ほっとするのを隠してそう云うと、

——またにぎやかなところに居るな。

と云う。何を皮肉を云っている、と思って聞き流し、

——また浅井姫のご用か。

と此方も冗談のつもりで云ったら、

——姫は今宵は龍神と連れだって淡路島の方へ往《い》かれた。

と真面目《まじめ》な顔で応《こた》えた。

——気になってここまで出てきたのか。

からかったつもりが、それには答えず、

——ここは少々うるさくはないか。

と問い返してきた。

――いい場所ではないか。

――ああ、確かにいい場所だ。こういうところに人は埋まりたがる。

――埋まりたがる、とは。

――つまり、ああ、いい場所だと思う、そして自分が死んだら故郷のどこそこへ埋めてくれと人にせがみたくなる、いい場所とはつまり、人が埋められる気になる場所なのだよ。

私は思わず立ち上がった。

――寝るのなら、少し外れたところにしろ。

高堂はそういって歩き始めた。私はその後を付いて、展望はさほどではないが、高台の、湿気の少なそうなところに腰を下ろした。

埋めてもらいたい場所……自分の場合はどこだろう、と考える。ふと、思いついて、

――おまえはどうなのだ。埋められたい場所があったのではないか。

声をかけると、高堂は不可思議な静かな笑みを浮かべ、

――その件は果たした。

と云って山を下りる小径《こみち》を行き、すぐに闇《やみ》に見えなくなった。

ゴローはしっかりと寄り添い暖かかったが、私は寝付かれず、夜露が落ち、月がすっかり西に傾くまで空を観ていた。

ホトトギス

外の明るさに、和紙を濾過《ろか》したような清澄《せいちよう》さが感じられる。いいか、この明るさを、秋というのだ、と共に散歩をしながらゴローに教える。ゴローは目を閉じ鼻面《はなづら》を高く上げ、心なしその気配を味わっているかの如《ごと》く見えた。私がゴローで一番感心するのは、斯《か》くの如く風雅を解するところである。犬は飼い主に似るというのは、まことにもって真実であると感じ入る。

疏水べりの土手にかなりの数の茸《きのこ》が出てきている。食えるものなら採ってみるが茸の毒は恐ろしいと聞いているので――登山部の誰某《だれがし》が以前それで死んだ――未練たらしく横目で見ながら通り過ぎる。

疏水に掛かる橋の上を和尚《おしよう》がこっちに向かって歩いてくる。法事に出かける途中からしい。

――おう、久しいなあ。

――野分の前に会いましたよ。

――そうだったか。おおそうだ。裏の赤松林に今松茸《まつたけ》が湧《わ》くように出ている、採っておいてくれ。どうせ暇だろう。今日は晩飯を驕《おご》ろう。松茸のすき焼きだ。

どうせ暇だろう、は引っかかったが、すき焼きには思わず生唾《なまつば》が出てくる、それを飲み込んで、

――けれど、すき焼きといえば肉も入っているのでしょう。和尚がそういう生臭ものを、いいのですか。

――生臭いものも喰わねば衆生《しゅじょう》の気持ちはわからんじゃろうが。衆生の気持ちに近づかねば衆生は救えんよ。

思わず納得するが、考えれば力ずくな理屈である。

――けれど、そのなりで肉を買うのですか。よければ私が。

――それには及ばん。今日の法事は駅前の肉屋だ。

それを見越しての誘いだったのか、だがまさか法事の礼に肉を頂戴《ちょうだい》するのだろうか。想像するだに気味の悪い絵である。あまりその辺のことは追及しないでおこうと、

――じゃあ、裏山で松茸を採って待っています。

とうなずきあい、二手に分かれた。

狸《たぬき》に化かされた一件から、山寺へ上る坂道は多少緊張するが、狸も犬には弱いに違いないので、ゴローがいると心丈夫である。

境内に入り、そのまま裏へ回る。厨《くりや》の裏に無造作に掛けてある籠《かご》を一つ手に取り、裏木戸を開け、赤松林というよりは、赤松の混じった雑木林の小径を踏んで行く。

秋の野山の空気は格別である。ことに木々の中に松が入っていると、清新の気が鋭さを増し、心地よい。夏の野山はその生命力でこちらをとって喰わんばかり、冬は厳しくて跳ね飛ばされるよう、春は優しく柔らかでもやもやとしている。何といって、透明度の高さで秋の野山に如《し》くはない。時折空気を震わすような鹿《しか》の鳴き声など響くのを聞くと、日本人なら誰でも百人一首中の鹿の声に寄せたあの歌を口ずさみたくなるだろう。

さて松茸である。

まだ学生の頃、友人と連れ立って松江まで行く途中、丹波の友人の実家で松茸狩りをしたことがある。松茸狩りはそれ以来だが、吉田山を散策中にそれとおぼしきものを発見、匂いもたぶん間違いなかろう、というので食うてみたら違っていた。そのときは一両日の腹痛だけですんだが、あれは猛毒の何とかいう茸で、松茸とは似ても似つかないではないか、しかも腹痛だけですんだとは、ずいぶん野蛮な内臓であると、菌類が専門の友人から馬鹿《ばか》にされた。それ以降茸の判別には多少自信を失っている。しかし和尚がああもしっかり裏山に出ていると断言したのだから、まあ、まず間違いなかろう。たとえ間違えたにしても、食べる段になって和尚がそれは違うと云《い》ってくれるだろう。

松茸というのはこういうところに生えるのだ、とゴローに云って聞かせながら、足先で赤松の根方の、腐葉土の積もったところなどを掘ってみせる。すると黒っぽく丸い、明らかにきのこの仲間ではあるのだが、松茸とはとても言えない何かが飛び出してくる。茶色い粉など吹きながら。

これは松茸、ではない。念のため、ゴローに断っておく。ゴローは最初から興味はなさそうにしていたのだが、ふいっとそばを離れると、どこかに消えてしまった。仕方がない、こうなれば自力で何とか、と目を皿のようにして辺りを見ていると、今行ったはずのゴローが帰ってくる。一匹ではない。連れがいる。犬ではない。人のようだ。尼さんだ。なんだか足許《あしもと》がふらついている。

——具合でも悪いのですか。

思わず声を掛ける。

――苦しいのです。吐き気がして。頭が割れんばかり。

――大丈夫ですか。

おろおろして思わずそう云ってしまったが、馬鹿なことを云っていると自分でも思った。見るからに大丈夫ではないし、本人もそう訴えているのに。

――少し、お堂で、休ませていただけませんか。

年若い尼さんはそう云ってよろよろと近づいてくる。

――和尚は留守ですが、お堂で休むぐらいかまわんでしょう。

そう応えて、とりあえず尼さんを抱えるようにして林を抜け、お堂に回る。何とか段を昇り、中に入る。隅に置いてある檀家《だんか》用の座布団《ざぶとん》を敷く。

――横になった方が楽ですか。

顔色悪く顔をしかめ、肩で息をしている尼さんにそう云うと、尼さんは阿弥陀如来《あみだにょらい》像の座しておられる方へ一礼し、失礼、と云って横になった。それからこちらがぎょっとするほどの七転八倒の苦しみ。どうしたらいいのだろうと、おろおろしていると、

――後生ですから、南無妙法蓮華経《なむみょうほうれんげきょう》、と唱えながらさすってはいただけませんか。

これだけ云うのを、何度も息を継ぎながら、ようやくの思いで云うのである。

――分かりました。

と、背中をさすってやる。南無妙法蓮華経、と呟《つぶや》く。一つ呟くと、驚いたことに、尼さんの姿がだんだんに変化し、手で触っている繻子《しゆす》の手触りが、木綿のざらざらしたものになってくる。農夫のようなのだ。ひえっと、思わず手を引っ込めようとすると、

――続けてください。

と、野太い声で嘆願する。おそるおそる、同じように、南無妙法蓮華経、と、呟きながらさすってやると、今度は何やら硬い鱗《うろこ》のようなものに変わった。落ち武者のようだ。不覚にも後ずさりすると、

――続けてくださらんか。

と、必死の声で訴える。仕方なく、同じように続けると、南無妙法蓮華経とさするたび、次から次へと、風体を変えていった。

これは人間のはずはない。しかしいかな化け物であっても、このように目の前で苦しんでいるものを、手を差し伸べないでおけるものか。

終《しま》いには汗みずくになって、必死でさすり続け、称《とな》え続けていると、七転八倒も少しずつ治まってきて、やがて化け物は元の尼さんの姿に戻った。尼さんは大きくため息をつくと座り直し、深々と礼をした。そして何も云わず、立ち上がり、そっと出て

いった。

あまりのことに私は後を追うこともせず、ただ呆然《ぼうぜん》と見送った。

気が付けばもう日も大分傾いていた。

——なんだここにいたのか。

和尚が庫裏《くり》の方へ続く戸を開けて、びっくりしたように云った。私はようやく、今起こった顛末《てんまつ》を述べた。和尚は別に怪しむ風もなく、淡々と聞いていたが、

——それはやはり狸の類《たぐい》じゃ。比叡の山には信心深い狸がおっての、山を回る間に畜生の身でありながら、成仏《じょうぶつ》できない行き倒れの魂魄《こんぱく》を背負ってしまうのだ。終いにはどうしようもなくなって寺へ駆け込んでくる。そうか、ゴローが手引きをしたのか。徳を積んだな。あれはなかなかどうして大したやつだ。

狸も健気《けなげ》なやつではないか。

——そういうわけで、松茸がまだなのです。

——いや、籠にいっぱい、入って置いてあったよ。そこにもってきた。

和尚が指さす方を見れば、戸の傍に、確かに山に置いてきたはずの籠がおいてあった。松茸がいっぱい入っている。その上に斑《ふ》の入った花の一茎が挿してある。

——あの花は。

——ホトトギスだ。あの斑点《はんてん》が鳥のホトトギスの腹に似せてあると見なして、付いた名前らしい。化かして悪かったということだろう。粋《いき》なことをする。

私はなんだか胸を突かれたようだった。回復したばかりのよろよろとした足取りで、律儀《りちぎ》に松茸を集めてきたのか。何をそんなことを気にせずともいいのだ。何度でもさすってやる。何度でも称えてやる。

思わず和尚を振り向くと、そこにはもう誰もいなかった。

——肉を貰《もら》ってきたぞ、葱《ねぎ》も豆腐もある。早く食おう。腹が減った。

和尚の大声が、厨の方から響いた。

野菊

サルスベリの、二股《ふたまた》になったところにサルが座っていた。この庭でサルが出たのを見たのは初めてである。二階の窓は開け放してある。悪さをされてはかなわない。なのに、ゴローはといえば、何やらしんみりとサルスベリの傍で遠い目をしているし、サルの方もじっと動かずに物思いに耽《ふけ》っていたようであった。私がびっくりして大声を出したので、場の静寂はあっというまに破られ、サルは塀を越え、退散していった。スベリもせず、身軽なことであった。ゴローはちらりとこちらを見たなり、ためいきをつき、視線を下に落とした。何だかひどく無粋なことをしたような気になったが、庭にサルがいるのを見て驚かずにおれるものがあろうか。叫んで何が悪い。飼い犬から不当な非難を浴びたような気がして、内心愉快ではない。

そのことを、次の原稿の相談にきた山内に話すと、嬉《うれ》しそうに目を輝かせ、

——サルと犬か。もう出来たようなものじゃありませんか。よし、あとはキジだな。

と、ほくそ笑む。どういう原稿を期待しているのか、少し不安になる。こちらの内心の動揺にはまったく頓着《とんちゃく》せず、

——サルがサルスベリに座るなんて。だいたいどうやって上ったんだろう。

——ああ立派に見えるが、実は裏は大きなうろがくくれているのだ。

——それではあの木の場合、サルスベラズと呼ぶべきでしょう。

——名前というものは理屈でつくものではないよ。君は幸の字のつく名に幸福な女性を連想するか。明のつくやつは暗いに決まっているし。名前がそのものの性質を逆から語る場合もあるのだ。いや、むしろそういう名を与えられたから、その逆の性質

が強調されていったのかもしれない。サルスベリも、そういう名が付いたからサルがすべらなくなったのかもしれんぞ。

——おもしろいですが、胡散臭《うさんくさ》い論ですね。元々の名前がどうであろうと、後からの事情でいくらでも変えられると思いますよ、本人さえその気なら。最近私の近所の婆《ばあ》さんが死んだのですがね。名前はトメといった。

——それはあれだな、子沢山の家に生まれて、もう子どもはいらんと思った親の命名の典型だな。

——そう思うでしょう。ところが、さにあらず、です。その息子が——私の幼なじみですが——役所に死亡届をする段になって、実はその婆さんの本名はそれでないということが分かった。

——ほう。

——本名は、実はトラといったのです。これを、周囲は、その息子すら知らなかった。本人が死んで初めて判明した事実というわけです。

——しかし、トメという名が、トラよりすぐれて素敵とも思えんがね。親は丈夫な体を願ったのだろうよ。これが藤野とかだねえ、紫苑《しおん》とかならまだしも。

——しかし、その家の名字は鬼虎——キトラ——というのです……。

――キトラトラ、か。

――どうです、思わず同情するでしょう。トメぐらいで止めておいたのは、つまり、何も自分は華美な名前で見栄《みえ》を張ろうというのではない、ただ、この名だけは我慢がゆかなかったのだ、という自己弁護のあらわれというわけですよ。

――ううむ。

――すべからく名前というものは、自分に気分のいいように呼ばれるべきものだと思うのです。いやだったらどんどん変えればいい。

――しかし植物はなあ。君、ヘクソカズラというのを知っているか。

――いいえ。

――花は可憐《かれん》で、鼈甲色《べっこういろ》の風情《ふぜい》のある実をつけるのだがね、つぶしたときに臭気があるというのでそういう名が付いたのだ。

――気の毒に。

――しかし名前というのは此方《こちら》の利便のためにあるのであって、ヘクソカズラ自身は屁《へ》とも思っていないだろうよ。

――なるほど。

――だからサルスベリも何と云われようが意に介すまい。

――そうでしょうか。

妙に意味ありげに云ってサルスベリの方を見た。私もつられてそちらに目を遣《や》った。風もないらしく、サルスベリは微動だにせず、葉っぱもそよとも動かない。

薔薇《ばら》が今更ナデシコと呼ばれても承知するまい。同じようにサルスベリだって、馴《な》染《じ》んだ名前がいいに決まっている。

――名前を付けて呼んでやるとまた、花のつきが違ってきますよ。綿貫さんだって、ゴローを、犬、とだけ呼んだんじゃ、情の湧きようがないでしょう。命名してこそ、個性が認められようというもの。たとえば、サルスベリの五文字の順番を入れ替えて……。

山内は手近にあった紙に何やら書き始めた。

――リサベルス。これはあまりに豪勢だな。いっそのこと最後のスをとって……。

――リサベル！　やめてくれ。

――いいじゃないですか。女っぽい名だ。おい、リサベル。

すると恐ろしいことに、サルスベリはうなずくように樹幹全体を大きく一度上下に揺らしたのだ。突風が吹いたのかもしれない。しかし窓硝子《ガラス》は揺れなかった。

――ほら、喜んでいる。

誰がそんな名で呼べるものか。

山内が帰った後、私はなるべくサルスベリの方を見ないようにして、外へ出た。山の方へ向かうと、疏水《そすい》へ上がるところの土手の藪《やぶ》で、隣のおかみさんが、何やら無心に摘み採っている。サルのことも話したく思い、

——それは何ですか。

と声を掛けた。おかみさんは笊《ざる》を落とさんばかりに驚いてこっちを見た。

——ああびっくりした。これ？　ムカゴです。はあ、知りませんか？　それじゃあ後でムカゴ飯にして届けましょう。

——ムカゴ、とは、何の実ですか。

——山芋。味もちょっと似ていますよ。炒《い》って塩をかければあなた、これが結構おいしいです。

——そりゃどうも。ところで、今日は庭にサルが出ましたよ。

——群れできましたか？

——いえ、一匹で。

——では、はぐれザルかもしれない。ゴローはどんな風でしたか。

——それがどうも馴染んでいた風で。

——それなら心配ないでしょう。

おかみさんは、またムカゴを採り始めた。おもしろそうだったので、私もその、カズラの葉の間に付くごつごつした小さな実を採るのを手伝った。おかみさんは身振りで、どうも、と云った。私はふと、山内の、名前を付けてこそ個性が云々《うんぬん》、という言葉を思い出した。それから、自分がおかみさんの名前を知らないということも。何気なく訊《き》こうと思い、どういうわけか、ためらった。仕方なく、山内がサルスベリに名前を付けた話をした。おかみさんは大真面目《おおまじめ》でうなずいた。

——そりゃいいことをなさいました。

おかみさんは、急に動きを止め、土手の横に咲いていた小さな紫の野菊に目を遣った。

——私の名はあれ。

——野菊——きくさんですか。

——いえ、ハナです。ありふれた名前です。

おかみさんの名前は、おハナさんというのだった。それを知ったからといって、その名で呼ぶ気には今更なれなかった。しかし、その名と承知して、妙に心落ち着くことであった。

ネズ

かはたれどき。疏水縁《べり》を歩いていたら、古ぼけた蓑笠《みのかさ》を被《かぶ》った老人が、恵比寿《えびす》のような顔をして、不可思議な笑みを浮かべたまま路傍の切り株に腰掛けていた。辺りは昏《くら》くなりかけていて、まるで夕闇《ゆうやみ》から滲《にじ》んで出てきたかのように、周囲との境がはっきりしなかったのだが、微動だにしない、その地蔵のような気配に、妙に引きつけられた。ようやく人とすれ違えるほどの小径《こみち》を挟んで、岸辺の柳の木に釣り竿《ざお》がくくりつけられていたから、たぶん釣りでもしていたのだろうと思うのだが、近在に見ない顔だったので、興味が湧《わ》いた。

家の玄関口で、ゴローに夕食の残りをもってきてくれた隣のおかみさんに、そういう爺《じい》さんを知っているかと訊いたら、

——それはカワウソですよ。安寧寺川の上流に棲《す》んでいる。新しくできた疏水もいい猟場だと気づいたんでしょう。騒がれないように風体を変えたところが、畜生とは

いえ知恵が回る。お声をかけなかったのが、よかった。はあ、この辺の最近の子どもなら、みんなあれがカワウソだって、知ってるんで、だまされません。

――だまされたらどうなるんです。

――まあ、別にどうということはありません。魚が魚籠《びく》に一杯捕れるまで、そばでぼうっと疏水を眺めさせられるだけです。連れが欲しいんでしょう。けれど、人間様は、そんなことに時間を費やしていては、生活というものが成りたちません。ねえ？

――……はあ。

――ああいう手合いと、かかわりあいになってはいけません。

おかみさんは一瞬、私の目の奥まで貫くように眼球を鋭く光らせ、念押しをして帰っていった。

外はもう真っ暗だった。中に入って電燈《でんとう》をつける。勝手に続く土間の奥で、何やらさっと走っていったように思った。猫のような小動物であった。勝手の戸は閉めてあったから、きっと床下に続く穴から逃げていったのだろう。巨大なネズミだったやもしれぬ。そういうことにこそ、かかわり合いになっていては埒《らち》があかない。おお、そうだ、と、おかみさんが持ってきてくれた「ゴローにお裾分《すそわ》け」を見ると、牛蒡《ごぼう》と小芋、鰯《いわし》の炊《た》き合わせだ。しかも昨日、隣のご主人が掘ってきたという山芋もまだ勝手に転がっている。今日はこれで麦飯とろろをつくろうと、朝から実は楽しみにしていたのだった。これで晩飯はいうことはない。すっかり心の浮き立つような気分になり、麦と合わせておいた飯を炊こうと勝手に行くと、流しになんと、笹《ささ》に鮎《あゆ》が数匹、連なったのが置いてあるではないか。ははあ、さては後を付けられたか、と思ったが、なぜこんなものをもってきたのかわからない。今日の菜は足りているので、鮎までは必要なかった。飯が炊けたあとの残り火で、とりあえず焼くだけ焼いて明日考えることにした。

次の朝、いつものように家の前の道を掃いていたおかみさんに、鮎の話をすると、ひえっと、露骨に禍々《まがまが》しいことを聞いたような顔をされた。

――それで、まだ食べてないんですね。

――はあ、まだです。

――それは不幸中の幸い。きっと、カワウソに、同類と見込まれたんですよ。大変だ。またきますよ。取り憑《つ》かれたら、一生、カワウソ暮らしだ。

実を云《い》うと、私はこのとき、その「カワウソ暮らし」という語に激しく引かれる気持ちと、おかみさんの云うとおり、大変だ、という気持ちの二つを同時に感じたのだった。

そのまま安寧寺川の上の方へ、鮎を返してくるようにとの忠告を受けて、私は素直に勝手に戻り、最初刺してあったように鮎を笹に戻し、ぶら下げて川上へ向かった。川といっても、すでにこの辺りでは大分上流の方なので、流れの激しい、幅は狭いが深く地面を穿《うが》っている小川、という印象である。両岸からは藪が迫っている。安寧寺の塀の横を遡《さかのぼ》って、しばらくいくと、急に幅が広くなってびっくりした。考えてみればこんなところまで上がってきたことはなかった。カワウソの巣はこの辺りか。左手の方から落ち葉を踏みしめる音がしてきて、どうやら別方向から交差する小径があるらしい、と思っているると、突然鳥打ち帽を被った男が目の前にぬうっと出てきた。

——ご主人、こんなところで、また。

と云う声を聞けば、まちがいない、長虫屋である。

——君こそ。冬眠前のマムシでも探しているのか。

——そんなもんは見つけようったって簡単には見つかりません。出会いのもんですから。この先の開けた山の上にネズの林があって、そこに実を採りに行くところです。それからトウキの根も、この秋は掘り頃なんで様子を見に。

そう云いながらも、ちらちらと私の鮎に目を遣る。

――私はこれを、カワウソ老人に返しに行くところだ。
私はぶっきらぼうに云った。
――場所を知ってますのか。
――さあ。この上流だろう。
――いやいや。ご主人、これは支流です。本流は安寧寺の境内を流れています。
――そうか。知らなかった。
私は歩を止めて振り返った。
――よろしかったら、私がそれを引き取りましょうか。
長虫屋はぎらぎら光る目で鮎を見ている。
――いや、カワウソ老人に返さねばならないのだ。
――何の不都合もありません、私が云っておきますから。
――君はカワウソと知り合いなのか。
――母方の祖父です。
私は仰天して腰を抜かさんばかりだった。
――カワウソ、だぞ。
――掟《おきて》破りの恋というのはいつの時代でも起きるものです。

長虫屋は自らの出自に何の恥じるところもないらしかった。私は思わず相手をいたわる声になり、

――それで母上は御達者か。

――小さい頃、出奔いたしました。そういう血なのでしょう。

そうか、と、私は長虫屋の苦難の半生を思い、先日の一件をすっかり水に流してしまった。屈折した生い立ちを持ったやつなのだ。

――分かった。では、この鮎の始末を君に任せてもいいかな。

と、笹を彼の前に差し出した。

――こりゃどうも、へへ。

と、長虫屋は笹を受け取ると、その場でばりばりと鮎を頭から喰ってしまった。その野性味と云ったら、さすがにカワウソの末裔《まつえい》である、と感心して見ていると、じゃ、とばかり、あっという間に山の方へ消えてしまった。

途端に彼はちゃんとカワウソと話を付けてくれるかと不安になる。

安寧寺川の「本流」に行ってみることはしなかったが、それの疏水と交差するところ、疏水工事の折、人為的に地下水脈を掘られ、疏水の下をくぐってまた元の川筋に戻るところをしみじみと見た。元々はもっと大きな川だったに違いない。時代の流れ

でカワウソも新しい世に適応してきたのだ。彼らの棲息範囲《せいそく》もひどく脅《おびや》かされてきている。この上は人界と交じってでも、彼らの性根なりと、しぶとく後世に伝えていこうと思ったにしても、無理のないことかも知れない。

私は昨日カワウソ老人が座っていた切り株に腰を掛けた。日はまだ高いので、彼が出没するには間がある。日がな一日、こうやって今日の糧《かて》を得るためにぼんやりと座っている、それをカワウソ暮らしというのなら、それはそれで正しい暮らしではないか。

秋の空は高く、遠くで子どもが遊ぶ声がする。吹く風は心地よく思わずまどろみそうになる。

突然、犬の吠《ほ》える声ではっと気が付いた。ゴローがこちらに向かって吠えている。何としたことだ、と狼狽《ろうばい》する間もなく、足下から何かがぬらりと出ていってぽちゃんと疏水に飛び込む音がした。ゴローはそれの方向に向けて盛んに吠えている。辺りを見回せば、すでに日も傾き始めていた。いかん、いかん、と立ち上がり、もういいよ、帰ろう、とゴローを促した。

風が冷たい。思わず組んだ両手を袂《たもと》に納める。ふと、袂に何かが入っているのに気づく。取り出せば、緑色のネズの実だった。ネズの木は学生の頃、教室の外に生えていた。どの教師だったか、ネズは成った年には熟さない、翌年か翌々年の秋にようやく黒く熟すのだ、と云ったのを思い出した。

青成りか、と呟《つぶや》いて、山の方へ投げて返した。ゴローがそのあとに一声、わんと吠えて、それから慰めるように私を見上げて尻尾《しっぽ》を振った。

サザンカ

早朝から外がざわめいている。朝飯の後で散歩に出たら、近所の爺さんに会ったので、今朝、何かあったのかと訊《き》くと、

——疏水《そすい》べりで首吊《つ》り。

と、まるでこれ以上長いこと口を開いていると疫病《えきびょう》がうつると云わんばかり、口に手を遣《や》って私を睨《にら》んだ。鼈《すっぽん》のように皮のたるんだ爺さんの首が、妙にこちらに迫ってくるようで、這々《ほうほう》の体で逃げ出し、しばらく疏水には行かぬ事にしようと決心した。

それで散歩は取りやめ、二階で本を読む。『世界の風土病』と題されたその本は、

数日前、洋書店で求めたものだが、文字通り世界の風土病について事細かに描写してあり、読み応《ごた》えがあった。例えば北アフリカの砂漠にあるその地方では、ある季節風の吹く季節になると、人々はあまり外へ出なくなる。土地の言葉で「緑の風」と呼ぶその風が吹くと、必ず行方不明になるものが出てくる。ふらふらと砂漠の中へ歩いていってしまうのだそうだ。砂漠で彷徨《さまよ》うところを見つけ、必死の思いで連れて帰っても、以前の記憶はない。ほとんど廃人同様、どんなに縛り付けてもすごい力でいずれまた砂漠に帰ってゆく。

不思議な病があるものだ。

風土病というのはその地方に特異な病で、何年かをおいて突発的に発生することもあれば、人々が皆その病に罹《かか》っているのに、あまりに慢性的なためにそれが常態となってしまっていて住民たちにその自覚がないこともあるそうだ。

その日一日その本に没頭し、気づいたら夕方、その頃には、世界は風土病によって色分けされ、私の住むこの辺りにも必ずや人の気づかぬ風土病があるはず、という気になってしまっていた。その土地の歪《ゆが》みやひずみが、人々の生活に顕《あらわ》れてくるのだろう。

しかし果たしてそれは何か。

考えていると、玄関で隣のおかみさんの声がした。またゴローに夕飯かしらんと、降りていって見ると、

——その先のお嬢さんがお亡《な》くなりになって。近所でお通夜《つや》の炊き出しに行くことになってます。いえ、お宅は行かなくても良いんですけど、ほら、お声は一応かけとかないと。

急に胸騒ぎがする。

——それは、どこの……。

——その一本道をずっと駅に向かっていったところの、まだ若いのに。

——病気か何か。

いえいえ、とおかみさんは、両手で首を絞める真似《まね》をして見せ、

——疏水べりでぶらさがっているのを、散歩中の父親が、ええ、実の父親ですよ、見つけたんですすと。

私の脳裏にはダァリヤの君の姿が浮かんでいた。

——あの、まさか低い生け垣の続いた家の……。

——そうです、お知り合いでしたか。

——……いや、でも、なぜ……。

——どうも、好きな人がいたらしいですよ。で、親に勧められていた結婚をいやがっていたと。じゃあ、私は行ってきますけど。
おかみさんが行ってしまうと私は思わずその場に座り込んだ。

まっすぐに通夜の家に行く勇気が出ない。裏通り、川の畔《ほとり》を辿《たど》って行く。安寧寺川に沿って洋館がいくつか並んでおり、その中の一つに燈《あか》りがついている。二階が三方に出窓のある不思議な形態をしている。この洋館群は重機会社が西洋から招いた技術者たちの家族用宿舎なのだそうだ。口の軽い女中の話では、その出窓にはぐるりと、その西洋人の奥方の幼少のみぎりからの写真が年代順に置いてあり、ご主人は朝起きると、赤ん坊の奥方の写真から順番に、挨拶《あいさつ》代わりの接吻《せつぷん》をしてゆくのが習慣であるという。まさか彼《か》の地ではそれが普通とはとても思えないが——風土病の一種だろうか。

冷たくなった風に吹かれながら歩いていると、鬱蒼《うつそう》とした木立の庭の、塀越しに誰かがくぐもった声でささやいているのが聞こえた。この道は屋敷と川の間の細い土手道で、滅多に人が通ることはない。それで盗み聞きをしているような後ろめたい気が

して足早に通り過ぎようとしたが、

——まさか疏水縁《べり》にまで。

という言葉でふと足を止めて聞き入ってしまった。

——湖の風が暗渠《あんきょ》を伝ってやってくるようだ。

——しかし何も連れて行くことはなかったのだ。

——……しっ。

それからこちらを窺《うかが》うような沈黙があって、しばらくするとばたばたと烏《からす》が二羽、夕闇《ゆうやみ》の空に飛び立っていった。

ぞっとした。

早く本通りに出ようと、橋のたもとから曲がろうとしたとき、向こうから、

——……嫁入り行列だ。

——……嫁入り行列だ。

というしゃがれた声がいくつもささやくのが聞こえる。川縁の、赤く紅葉した桜の木が一斉にささやいているのだ。

川下から、小舟が幾艘《いくそう》も連なって、夕靄《ゆうもや》の中を、滑るように川を遡《さかのぼ》ってやってきた。乗っているのは、裃《かみしも》を着て人のようにしているが顔は鮒《ふな》、黒留袖《くろとめそで》を着ているのは鯉《こい》、

何匹もすまして座っている。船頭は鯰《なまず》らしい。

これはただならぬ、と呆然《ぼうぜん》としていると、真ん中の船には真っ白の装束を着た、嫁御と見られる娘さんが俯《うつむ》いて座っている。

——佐保ちゃん。

耳元でいきなり声がして、飛び上がらんばかりに振り向くと、なんとダァリヤの君ではないか。そのまま船に近づくように土手を走り、手にしていた白い花を投げかけた。

——佐保ちゃん。

もう一度叫ぶと、佐保ちゃんと呼ばれた娘さんは、心もちこちらの方へ首を傾け、お辞儀をしたようであった。そして船行列はそのまま川上へ消えていった。

私は恐る恐るダァリヤの君を見つめていた。ダァリヤの君は、力が抜けたようにいつまでも川上の方を見ていた。しかし、とうとう、こちらを振り向くと、

——ご覧になって？

と呟いた。私は黙ってうなずいた。

——隣の家の幼友達なんです。ええ。急なことだったので、花が間に合わなくて。この辺り一帯の、早咲きの白いサザンカをみんな集めてきたんです。

私は黙ってうなずいた。

――かわいそうだと思わないでください。佐保ちゃんは、春の女神になって還《かえ》ってくるのだから。

ダァリヤの君の声は昂揚《こうよう》していた。私は黙ってうなずいた。それ以外に何が出来ただろう。

角の所まで送っていった。別れ際《ぎわ》、

――僕の友だちも湖で行方不明になりましたが、気の向いたときに還ってくる。

と、云った。ダァリヤはちょっと、泣きそうな風に顔をしかめたが、

――ええ、そう、そういう土地柄なのですね。

と呟き、明々と提燈《ちょうちん》の燈《とも》る通夜の席に戻っていった。

リュウノヒゲ

倫敦《ロンドン》に留学している友人の話によると、かの国では、婦人が年をとってくると次第

に象足になるのだという。足首ふくらはぎの境が不明瞭《ふめいりよう》になり、ただ異様に太い巨大な筒と化してゆくのだそうだ。

石灰分の異常に多い飲料水のせいではないかと云《い》われているらしいが、普段は衣服の下に隠れているはずの、男子を以《もつ》てして容易に知り得べからざる情報を何故彼が得々と書き送り得たか。本人は秘密めかしてそれについては何も云っていないが、文章から、これは別段彼がかの国の婦女子に艶《つや》めいた通力を発揮しているわけでも、本分を忘れてそのような研究に勤《いそ》しんでいるわけでもなく、ただ下宿の婆《ばあ》さんの愚痴と医者通いに付き合った結果だと推察される。

土耳古《トルコ》の村田からの手紙でも思うのだが、「下宿の婆さん」というのは、その国を知る最良の窓口になるようだ。まず、地元のことに通暁《つうぎよう》しているは云うに及ばず、母鳥が自分の羽根の下に入ってきた雛《ひな》を本能的に慈《いつく》しむような保護欲を持ち、かつ知っていることを教えたいという教育熱も常時たぎらせている。案内役としての条件は揃《そろ》っているわけだ。しかし、悪魔のような下宿の婆さんに当たってしまった留学生の話も聞いたことがある。そうなるとその留学体験全体が悪夢そのもの、その学生はすっかり神経衰弱になって帰国したという。なべて、天運というものであろう。

地元の事情に精通し、かつ時宜にかなった適切な情報をこまめに入れてくれるところは、まことに隣のおかみさんは、私にとり、そのような下宿のおばさん的存在なのだと思う。

この間も、最近寒くなったが、池に氷が張るような真冬には、河童《かっぱ》は一体どこでどうしているのだろう、と疑問を呈すると、快刀乱麻を断つが如《ごと》く、即座に、ああ、それは水底の国へ行くのです、と、まるで、正月の餅《もち》なら角の菓子屋に頼んでおけ、と云うのと同じ調子で片付けてしまう、その明快さには微塵《みじん》も迷いというものがない。

当の本人は今、朝の陽の光の中で鼻歌を歌いながら洗濯物を干している。深遠なる大気との交歓をしているわけだが、もちろん本人にその自覚はないだろう。その隣の家の庭先の鼻歌を、遠く二階の寝床から聞いている私は、また一日の順調に始まることの不可思議をしみじみ考える。寝床から出られないのは、さすがに晩秋も過ぎ初冬というべき季節が巡ってきたからで、つまり、寒いのだ。寝床を一階から二階へ変えたのも同じ理由による。二階の方が単純に暖かいのだ。硝子《ガラス》戸をガタガタ揺する木枯らしの声を聞くだに、成すべき事を成さぬ己れの怠惰が後ろめたいが、寝床の中にいて、この世の彼方此方《あちらこちら》に思いを遣るのは、これもまた立派な精神活動であるからして、肉体労働の向こうを張って、（知的とは云えぬにしても）精神労働者とぐらいは自ら称してもいいのではないかと開き直っている。進化か退化か。

最近、勝手から茶の間にかけての天井で、夏の間隆盛を誇っていたカラスウリに、実がつきそれが朱色に色づいた。瓜《うり》とは名ばかり、これは食えない。豊作と云っていいほどの出来であるので、食えるものなら毎日でも食っている。鈴なりになる様は、何か奇天烈《きてれつ》なまじないか飾り物のようで、せめて漬け物にでもならぬかと思うが、隣のおかみさんは、冬瓜《とうがん》ならともかく、カラスウリの漬け物など聞いたこともないと云う。

——けれど風情《ふぜい》のないものでもないから、枯れ枝に絡《から》ませて、床の間の花瓶にでも挿してご覧なさいまし。

そう云われても、普段なら聞き流して気にも止めないし、また云っている本人も、ただでさえものぐさな私が、まさか床の間の趣向のために動くとは信じていなかっただろうが、どういうわけか、とりあえず、ほったらかしの床の間の埃《ほこり》を拭《ふ》く気になったのは、他でもない、掛け軸の向こうの様子が気がかりなのだ。

高堂が出てこない。

掛け軸のサギは相変わらずほとんど微動だにせず魚を探しているし、時に葦原《あしはら》はざわざわと風の音をさせることもあるが、ここ数カ月、高堂が床の間の敷居（と呼ぶのだろうか）を跨《また》いだことはない。埃がきれいに積もっているのはそのせいである。

えいやっと起きて、下に行くと、習慣になって床の間に目を遣《や》る。変わりはない。しかし風が吹いてくる。これが何を意味するのか分からぬ。神顕現の前の天変地異のように、高堂が出てくる前触れかとも期待するのだが、これがそうではないのだ。ただ、吹いているだけなのだ。

ふと、目の前、庭の池の向こうに、先ほどまで洗濯物を干していたはずのおかみさんが現れた。ゴローが嬉《うれ》しそうに尻尾《しっぽ》を振って寄っている。私と目が合うと、

——断りもなくすみません、風が強くて洗濯物が飛ばされて。

彼女の視線の先を見ると、それらしきものが松の枝に掛かっている。すぐに縁側から降りて、竿《さお》を使い、その網状の布巾《ふきん》をとってやる。

——助かりました、すみません、そろそろ餅つきの準備をしとこうと思って。餅米を蒸すときに使う布巾です、洗おうと思って取り出したら風にとられてしまって。

……あら、まあ、リュウノヒゲの実がいっぱい。

足元を見ると、今まで気にもとめていなかった、いかにも、草、という感じのわさわさした植物の間に、瑠璃玉《るりだま》のようなものが露のように浮かんでいた。

——おお、これは気が付かなかった。何ですか、リュウ……？

――リユウノヒゲ、というんです。

――それは知らなかった。こんな美しいものを産するとは。私は屈《かが》んでしげしげと見入った。

――リユウというからには龍《りゅう》に関係あるのでしょうか。

――さあ。それは分かりませんがね。湖の周りには、龍にまつわるものはいっぱいあります。骨だって。

――骨? まさか龍の骨? ですか。

――ええ、叡山と比良山《ひらさん》の間ぐらいから、湖に流れる、真野川の近くでね、お百姓が見つけたんですよ。

――畑で?

――田圃《たんぼ》に邪魔な小山を崩している最中に。骨は膳所《ぜぜ》藩のお殿様に献上されたんですがね、なんと、儒学者の皆川きえんとかいう御方《おかた》が、これを龍の頭骨であると鑑定なすったんですよ、ええ。それでその場所には「龍の宮」って祠《ほこら》が建てられたんです。それはついこの間、百年ほど前の話です。

――はあ。骨がね。じゃあ、龍は死んだんですか。死ぬこともあるんですか。そりゃ生まれるんだから、死ぬこともあるだろうなあ。

――それが、開国の御代《みよ》になってすぐ、ナウマンとかいう学者がやってきて。

――ああ、独逸人の地質学者ですね。確か、エドモンド・ナウマンという人だ。その人が御維新の頃にやってきた、というのは、独逸語の師から聞いたことがある。へえ。

――おや、ご存じですか。とにかく、その人が云うには、それはなんとかっていう大昔のゾウの下顎《したあご》の骨だっていうらしいんです。

――なるほど。

――けれど、なんで土地の者でもない、しかも毛の色も違う異国の学者なんかに、土地のことが分かるんです？　学者なんて、結局、なんにもものが分かっちゃないんです。そうじゃないですか。この間の日照りの時も、気象学者なんていうのがしゃしゃり出て、気圧がどうたらこうたら云って、当分の間雨の降ることは絶対ない、一刻も早くダムをつくれとか云って、土地の神主が、その龍の祠に行って雨乞《あまご》いの祈願をしたら、あっという間に黒雲が湧《わ》いて雨が降ってきたじゃないですか。学者ってそんなもんですよ。土地の気脈というものがまるで分かっていない。

気炎を上げている。おかみさんの論理は、机上で組み立てたものではなく、すべて生活実感から出てくるものであるので、非常な説得力と迫力を持つ。

――なるほど、たとえその骨がゾウの骨であったにしても、少なくともその骨が、龍の死んだ証拠にはならない、ということだな。

おかみさんは一瞬きょとんとした顔をしたが、

――死んでいようが生きていようが、気骨のある魂には、そんなことはあまり関係がないんですよ。

と、重々しく云った。

おかみさんが去った後、何気なく池の表を見ると、流れのない隅の方に氷が張っているのを見つけた。そこにリュウノヒゲの青い玉が転がっていた。薄着の私の耳横を切るように、音を立てて風が吹き、ついでにその玉を流れの底に落としていった。振り返ると、開け放した縁側の障子の向こう、座敷の床の間の掛け軸から、風は渺々《びょうびょう》と吹いてくるのだった。暫く黙って見ていたら、やがて風は止《や》み、風景は収まり、静かになった。

寒気凛烈《りんれつ》、肌裂く如し。

檸檬《れもん》

駅舎を出ようとしたら、雪が降っていた。それも世界を白く塗りつぶさんがばかりの降りようで、その中を焦《こ》げ茶の生きものが左から右へ通りかかった。よく見るとゴローである。忠犬よろしく私を迎えに来たのではあるまい、偶々《たまたま》散歩の途中に通りかかったのであろう、ゴロー、と呼ぶと、振り返りざま、おおっ、という顔をしてお愛想に尻尾を振って見せた。それから、急ぎの用事がありますんで、とでもいうように、こちらを振り返りつつ、すまなさそうに去っていった。ゴローに振られたのは初めてだった。ふん、と興がったのも最初のうちだけで、実は少し、気を落としていた。

さてどうしたものだろう、もう少し此処《ここ》で待っていたら小降りになるだろうか、それともこの雪は夜まで続くのだろうか、と気をとり直し思案をしていたら、黒髪を一つに編み臙脂《えんじ》の肩掛けをした若い女性が駅の構内に入ってきた。傘から雪を落とし、たたんでいる。片手にもう一本傘を持っている。ダァリヤの君だった。誰かを迎えに来たのだろう。向こうも私に気づき、互いに会釈《えしやく》した。

――よく降りますね。

――ええ、ほんとに。

――どなたかお迎えですか。

――ええ。

しかし、次の汽車は暫《しばら》く来ないはずだった。さっきの汽車で降りたのも私の他二名で、一人には傘の用意があり、もう一人は近くと見えて足早にその先の路地へ消えていった。

――汽車が、来ますか。

――来ます。

真面目《まじめ》な顔で頷《うなず》くので、臨時便でも出るのかと思う。こうしている間にも、雪はしんしんと降り積もり、民家の瓦《かわら》屋根など白い座布団《ざぶとん》でも置いたかのようになっていた。待合室に入ろうかとも思うが、どうも金縛りにでもあったようにここから動けない。ダァリヤの君も、凍りついたように汽車が来る方向へ顔を向けたきりだ。間が持たない。

――どこからの汽車ですか。

——湖の方から。

それはそうだろう、どの汽車も湖の西岸か東岸かどちらかを通ってくる。その返事に間違いはなかったが、どこか奇妙な気がした。

——湖の周りには、龍にまつわるものが多いのだと、隣のおかみさんから聞かされました。家の庭には「リュウノヒゲ」という植物が瑠璃玉のような実を結んでいる。

つい、先だって初めて気づいたのですが。

ダァリヤは正面を向いて、

——「いと年経たる龍の　ところ得顔に棲《す》まい」

と、呟《つぶや》いた。私は嬉しくなった。ゲーテだ。ミニヨンだ。

つい、

——君知るや　山の道

立ち渡る霧のうちに　騾馬《らば》は道をたずねて

嘶《いなな》きつつ彷徨《さまよ》い　広き洞の中には

いと年経たる龍の　ところ得顔に棲まい

行き帰る白波の　岩より岩を伝う

彼《か》の懐《なつ》かしき山の道を

と諳《そら》んじて見せた。ダァリヤは、その後を続けて、

——彼方《かなた》へ

君と共に行かまし

と、透き通るような声で中空に向けて朗誦《ろうしょう》した。

そのとき、汽笛が鳴り、確かに汽車の振動が駅舎に響いた。ダァリヤはプラットホームの方へ急いだ。汽車が入ってきた。駅員は誰も動かない。汽車から誰も降りてこない。そのとき、運転室の方からダァリヤを手招きするものあり、何かを渡した。ダァリヤはそれを受け取り、呆然《ぼうぜん》と立っている。汽車は動きだし、雪の中を小さくなっていった。ダァリヤが手籠《てかご》を持って戻ってくる。雪びらが肩や髪についている。

——乗っていませんでした。

それだけ呟くと、帰り支度をしながら、

――傘、お貸ししましょう。なかなか止みそうにありません。

と、私に持参してきた傘を差しだした。

――や、どうも。

と、私は恐縮しつつ、傘を借りることにした。

高架下を二人で歩いているとき、ダァリヤは、

――寒いときは、湖の底はしんとしているのですって。それほど寒いとは感じないらしいのですけれど、外が寒ければ寒いほど、湖はしんと静まってゆくのですって。鯉《こい》も、鮒《ふな》も、みんな動かずに、宙に浮いているような感じ。鯉のぼりの鯉が、ふっと水平に浮いて、風が止んだ瞬間、水平になったまま静止している、そんな感じなのですって。いつもは水平に流れてゆくだけの時間が、そこではふっと止まって垂直に、どんどん深くなってゆく。でもみんな生きている。それが証拠にほんの微《かす》かに、揺らぐのが分かるんですって。

私は返事が出来なかった。黙ってダァリヤの話を聞いていた。

――それでも、龍の洞の奥には何でもあるのだそうです。常夏《とこなつ》の国の果実も、高山に咲く花も。本当かしらって思ったりもしたんですけれど。だって、本当みたいに思えませんでしょう。

ダァリヤは私に相づちを求めた。私は仕方なく、

――本当よりも本当らしいじゃないですか。それが本当で、何か不都合がありますか。

と応《こた》えた。ダァリヤの頰が上気した。

――いえ！　何も！

それから、

――お友達、あれから帰っていらっしゃいましたか。

と訊《き》いた。

――いや、いっこうに。

高堂は冬になってもまだ現れなかった。気がつくと、私たちはダァリヤの家の前まで来ていた。ダァリヤは門のところで立ち止まると、

――お友達とも、またお会いできますように。

と云って、汽車からの手籠に手を差し入れ、私に何か実のようなものを渡した。見ると檸檬だった。

――ありがとう。

――青いですけど、転がしておけば黄色くなります。

と、会釈して、門の中に入っていった。雪は降り止まず、私は下駄《げた》で雪玉をこしらえこしらえしつつ、家路についた。四苦八苦しながら、ダァリヤに触発され、ゲーテの歌の最初を口の中で呟いた。やはり檸檬が出てきたのに気づいた。

……君知るや　彼の国
檸檬の木は花咲く　暗き林の中に
黄金色《こがねいろ》のシトロンは　枝もたわわに実り
青く晴れし空より　涼やかに風吹き
ミルテの木は静かに　ロウレルの木は高く
雲に聳《そび》えて立てる　その国を
彼方へ
君と共に行かまし

南天

庭が雪景色だ。降り積もった雪の間から、南天の赤い実が艶々《つやつや》と光っている。雪は止《や》んでいるが空は曇り、いつ降り出すか分からない。空気は鉛の色合いと質感を帯び、風もなく音もない。

こういう日はよく家鳴りがする。家鳴りは縁側の奥の丑寅《うしとら》の暗がりから始まりそのまま洗面所の方へ曲がるものもあれば、縁側を真《ま》っ直《す》ぐ、座敷の方までやってきて私のいる障子の向こうでぴたりと止まるものもある。一旦《いったん》興が乗るとにぎやかなものである。それまでは様子を窺《うかが》いながら、遠慮しいしい、といった感があるが、鳴り出すとたがが外れたようにあちこちで一斉に鳴り始める。別に仕事の邪魔にもならないので、今までは構わないでおいたが、それが良かったのか悪かったのか、よく、人の住まない廃屋には狐狸《こり》妖怪《ようかい》が棲み着くものだというが、いつの間にか似たような条件をこさえてやっていたのかもしれぬ。不徳の致すところである。今日は特にそれがかしましい。不思議なことに家鳴りがうるさければうるさいほど、辺りの静けさが際《きわ》だつ気がする。それが今日は雪が降り積んでいるせいもあり、何だか痛いほどの静けさである。

庭も、座敷から眺めると池も凍りその上に雪が積み、暫《しば》し休めといった風情《ふぜい》、その上を雀《すずめ》の一群がサルスベリの枝に鈴なりに止まっている。庭には南天が多い。故《ゆえ》に冬場は鳥が多いのも解せるが、鵯《ひよどり》ほどの大きさならまだしも、南天は雀の飲み下すにはちと命がけの代物《しろもの》ではないか。縁側の硝子《ガラス》戸のすぐ前にも大きなやつがあって、これは南天にしたら大木と云《い》ってもよかろう。ただし枝振りは悪い。湾曲した大枝に、中枝が何本も並行して出ている。一番此方《こちら》側の一本は、硝子戸にぴたりと密着している。ふと、何か、家鳴りにしては慎ましやかな音がするので、そちらに目を遣《や》ると、サルスベリの枝からこぼれ落ちたのか、まん丸く膨れた雀が一羽、その、並行して出ている親指ほどの太さの南天の枝々を、横飛びのように順に跳んでいるではないか。硝子戸に体を寄せるようにしてこちらの端までくると、また折り返して跳びながら帰ってゆく。これは明らかに遊んでいるのである。面白いことをする、と、思わず引き込まれるように見ていると、微《かす》かにささやくような声が聞こえた。

……丑寅の天井裏、魔除《まよ》けの札がネズミに引かれかかっています。

サルスベリだ、と、私は直感した。魔除けと言えば、この間が節分だった。豆まきはおろかイワシの頭もヒイラギも、とうとう縁のないことだったが、この家を預かっている以上、人の気配がないものかのように好き勝手をされては家主に面目が立たない。

私は早速丑寅の角の天井裏の検分にかかった。確かに紙製の札らしきものはあったが、ほとんど消え失《う》せていて、かろうじて角の部分が残っているのみだ。やはり新しい札を手に入れてこなければなるまい。いろいろ考えたが、節分の鬼遣《おにや》らいで有名な吉田神社まで出かけることにした。あそこの節分の夜はにぎやかである。学生の時分に行ったことがあるが、参道の両側に夜店が出て、冬だというのに夏祭りのように皎々《こうこう》と明るかった。社務所に行けば、きっと魔除けの札の一枚や二枚はおいてあるだろう。

思い立ったが吉日で早速出かけることにした。雪のせいか、不思議なことに外は人っ子一人いない。吉田山を神社の反対側から越えていこうとしたら、鳥居へ続く参道脇《わき》に小さな店が出ている。社務所の出張所であろうか。御札や、と幟《のぼり》が見える。やれ助かった、雪の中、頂上まで登る必要がなくなった、と喜んで、中を覗《のぞ》くと、まだ子どものような坊主頭《ぼうずあたま》の店主が、

――いらっしゃりませ。各種お札、取りそろえております。どのようなものをお探しで。

と云うと、心得た、と云わんばかり、頷《うなず》いて、

――魔除けの札を。

――魔除けの札もいろいろありまして、これは百足《むかで》にもカワウソにも狐狸にもきく、という弘法大師の霊験《れいげん》あらたかなもったいないお札で、そうですね、まずもって、普通の勤め人の月給三カ月分、というところでしょうか。

――それは無理だ。

――それでは、これはどうでしょう。向こう側からのちょっとした隙間風《すきまかぜ》を止めます。これは高野山のとある御坊の特製で、これで怪しげな物音は全く消滅いたします。心身とも健やかなる毎日が保証されます。値段は、そうですね、普通の勤め人の給料二カ月分、というところでしょうか。

――それも無理だ。

御札屋は少し気落ちした顔をしたが、すぐに自らを励ますように、うん、と気合いを入れ、

――なら是非ともこれをおすすめいたします。これは先の二つとはちょっと霊力は

落ちるが肝心の時には重宝いたします。

——どういうときだ。

——雷除けです。

——ふむ。いくらかね。

——普通の勤め人の給料一カ月分。

私は普通の勤め人ではなく、月ごとの給料も貰《もら》ったことのない身なのだ。私の身の丈にあった札を勧めてはくれまいか。

まだ若い札屋は顔をしかめた。不愉快そうにしかめたのではなく、悲しくて泣き出すのをこらえているといった顔のしかめ方だった。自分の力に余る難題を押しつけられたという悲哀めいたものを感じさせた。私はつい同情してしまい、

——値段でいったら、そうだな、夜泣きうどん一杯、というところかな。

途端に札屋の顔が明るくなった。私のこの具体的な値段の提示に何か閃《ひらめ》くものがあったのだろう。

——それなら、これしかありません。

と、自信を持って差し出したのは、「万難転御厄除け」と麗々しく大書された固い和紙の袋だった。

——それは何だか効きそうな気がするな。

——お買い得です。

御札屋は嬉《うれ》しそうに云った。きっかり夜泣きうどん一杯分払い、帰ろうとすると、出店の後ろの方から誰か入ってきた様子で、御札屋が振り向いた。その男もちらっと此方を見た。その顔を確かめて私は驚き、思わず、

——長虫屋！

と大声を出した。長虫屋はへへっと笑い、

——毎度どうも。

と頭を下げた。

——おまえは札屋もやっていたのか。

——いえ、これは弟です。

長虫屋に弟がいたのか。するとこれは、とその年若い御札屋の顔を改めて見ようとすると、

——母親違いの。

と、涼しい顔をしている。益々《ますます》もって複雑な家庭事情である。そして、

——こいつは、誠実な商いをします。贔屓《ひいき》にしてやってください。

そう云って頭を下げた。御札屋など、贔屓にしたくても私の残りの生涯ではたして再び訪れることがあるのかどうか、請け負うことは出来ない。

——それは確約がしかねるが、今日はいいものを売って貰ったよ。

と云って、帰途に就いた。

家に帰ると早速天井裏を開けて入手した札を納めようとした。が、どういうわけか急に札の袋の中が見たくてしょうがなくなった。しかし中を見たら御利益《ごりやく》がなくなるという話も聞いたことがある。しばらく卓子《テーブル》の上に置き、睨《にら》むようにして考えた。そして、そうだ、いざ効力がなくなったらもう一度あの御札屋に行けばいいのだから、と決心し、思い切って中を開ける。出てきたのは乾いた南天が一枝、出すときにぽろぽろと紅い実が畳に落ちた。

ふきのとう

火鉢に入れた炭の匂《にお》いと熱は、障子のような和紙一枚でも遮られているものとみえ、縁側に出ると途端に足の裏から寒気が襲ってくる。座敷の中も十分寒い。寒い、寒いとふるえながら悴《かじか》んだ手で仕事をしているが、蛮勇を奮って一歩障子の外へ出るたび、己れの精神の未《いま》だ脆弱《ぜいじゃく》であったことを思い知るのである。もう弥生《やよい》に入ったというのに、いつまでも寒いことである。

こんなことではいかん、と散歩に出ることにした。空は珍しくよく晴れていた。

雪の残った疏水《そすい》の土手に、何やら落ちている。よく見ると拳《こぶし》を一回り小さくしたほどの小鬼である。冬の午後の陽射《ひざ》しに気持ちよさそうに寝ている。これは珍しいものである。どのくらい珍しいかといって、私の生涯にまだ出会ったことがないほどだ。玉蜀黍《とうもろこし》のひげに酷似した、白銀色のもつれた糸玉の如《ごと》き髪の中から、まごうかたなき三角錐《さんかくすい》の象牙色《ぞうげいろ》の角が顔を出している。文字どおりの小鬼だが、それもまだ小さな子どもと推察する。蓑虫《みのむし》の蓑のような風合いの衣を引っかけている。

このような絶滅寸前の種を前にして、俄然《がぜん》本能的な保護欲をかき立てられるのは、知識人の泣き所であろう。困ったことだと思いつつ、私は辺りを見て野良犬《のらいぬ》や子ども、品の悪そうな人間のいないことを確認した。長虫屋などのような奴《やつ》に出会ったら、あっという間に薬の材料になって売り飛ばされてしまう。

さてどうしたものかと思案を巡らせていると、小鬼がふっと起きあがった。お、と、一瞬緊張し、息を凝らして見つめていると、別段こちらに注意を払うでもなく、すたすたと歩き始めた。土手は結構な坂なのだが、危なげなく川の流れる方向に向かって歩いてゆく。魅入られたように私も後を付いてゆく。小鬼が立ち止まる。慌《あわ》てて私も歩みを止める。小鬼はきょろきょろと辺りを見回している。何かを探している風情《ふぜい》である。何を探しているのだろう、と興味津々《しんしん》で見ていると、

——ふきのとうを取って来いと云われたのだ。

小鬼が独り言のように呟《つぶや》いた。私に向かって話しているのだろうか。鬼とはいえこんな小さな子どもに、ふきのとうは大きすぎるだろう。ひとつ背中に背負えばひっくりかえるかもしれない。

——よし手伝ってやろう。

私も小鬼の方は見ずにそう呟いてみせると、残雪の小さく盛り上がっているところや、枯れ草の間を探り始めた。はたして小さな薄緑の皮を被《かぶ》ったものが発見された。

——あったぞ。

と、小鬼の前に置くと、小鬼はおっかなびっくり、というように、少し距離を置いて矯《た》めつ眇《すが》めつしていたが、

——よし。

と云うと、すぐにまた探す姿勢になっている。これ一つでも、小鬼には十分だろうと思っていたが、向こうがそういう体勢なので、私も続けて探す。目が慣れると、辺り一面ふきのとうだらけだ。結構な量がまとまった。小鬼は何やら蜘蛛《くも》の糸を寄り集めたような綱を出すと、あっという間にそれを全部括《くく》り始めた。そして片手でかろがろとそれを持ち上げた。自分の五十倍は優にあろうかという大きさである。さすがだ。思わず感嘆の声が出そうになった。小鬼は、

——探しものは見つかる。

と呟くと、疏水の川を跨《また》いで（際《きわ》まで行って落ちると思ったら、瞬間に向こう岸に現れたのだ）消えていった。

たまに外に出ると珍しいものを見る。隣のおかみさんにでも話してみようと、思いつつ、ついでに自分のためにもふきのとうを摘んだ。味噌《みそ》につき混んで酒の肴《さかな》にしようとの考えである。突然後ろから穏やかな声で、

——何をしている。

と、声が掛かった。振り向くと、高堂が面白そうに此方《こちら》を見ながら立っていた。私は腰を抜かさんばかりに驚く気持ちと、ああ、高堂か、と普通に納得する気持ちと二つ、同時に起こった。

——ふきのとうを摘んでいるのだ。

——ああ。

高堂は、少し陽の光が眩《まぶ》しいような目つきをした。

——おまえはどこへ行っていたのだ。

声の調子が少し、強くなってしまった。

——暫《しばら》く白山にこもっていた。湖の、ずっと北の方にある。

白山神社のことは知っていた。

——そうしたら、不動明王に踏みつけられた天《あま》の邪鬼《じゃく》が、おまえのところへ行けと云うのだ。もうちょうど山を下りる時節であると思っていたので、素直に従った。佐保姫も帰ってきていることであるし。

——……そうか。

ダァリヤのことを思い出した。

——ふきのとうには雌花と雄花がある。知っているか。

高堂は私の手にあるふきのとうに目を落としながら云った。

——知らなかった。

——小菊の寄り集まったようなのが雄花、黄緑の蕾《つぼみ》の集まったようなのが雌花だ。

——ほう。

確かに二種類あった。

——私はそれを全部一つのものと思っていた。一つのものの成育の段階の差だと。

随分長いことそう思い込んでいた。

——そういうこともあるさ。

高堂は軽く頷《うなず》いた。

——思い込みというのは恐ろしいな。

——だがとりあえずは思い込まねばな。

久しぶりに会うせいか、高堂の言葉にはあまり毒が感じられなかった。もしかすると白山で修行して得るものがあったのだろうか。

——今日はゆっくり出来るのか。

——いや、あちこち回らねばならぬ。その先にボートが繋《つな》いである。今日はそれで帰る。ゴローはどうしている。

——ゴローは朝から散歩だ。最近よく出歩いている。何か悪いことにかかわっていなければいいのだが。

最近日中にゴローの顔を見ることの方が珍しい。あいつにはあいつの付き合いがあるから、と思ってはいるが、夜遅く帰ってきたときなど、思わずほっとする。これはまさしく家族の関係だと思いつつ、ゴローを此処《ここ》で飼うように勧めてくれた高堂には感謝している。

そう云うと、

――なんだ、どうしたのだ、やけに殊勝だな。熱でもあるのではないか。云い慣れないことを云うと舌を噛《か》むぞ。

そう云って、去っていった。ここに、ボート、と云いながら振り向く姿が次第に薄くなり、高堂は帰っていった。やっぱり高堂は高堂だ。人間死んだからとて修行したからとてそうおいそれと性根が変わるものではない。そう思うと安心するようながっかりするような変な心もちである。

家の近くまで帰ると、隣のおかみさんが、盆に布巾《ふきん》を被せたものをもって歩いているところに出くわした。

――ああ、綿貫さん、ちょうどよかった。今から持っていこうと思ったんですよ。

おや。

と云って、私の手を見た。ふきのとうを一握り、握っていたのである。

――これ。

と云って、おかみさんが布巾を取ると、そこにはふきのとうやらタラの芽、さよりの天ぷらがいい匂いをさせて揚がっていた。私は礼を云い、このふきのとうは味噌にするのだ、と説明した。それから鬼の子のことを話した。

おかみさんは驚きもせずに、成程と納得したような様子で、

——今日はもう啓蟄《けいちつ》ですから。

と、頷いていた。

あれは虫の仲間か、そういうものかと、ふと見上げれば、道の脇《わき》の、脹《ふく》らんだ桜の木の芽の間から、小鬼がつまらなさそうに此方を見ていた。

セツブンソウ

早朝、玄関の方がうるさいので、寒い中、何事かと布団《ふとん》から出て行ってみると、硝子《ガラス》戸の外がなぜか暗い。外は雨か曇りか、訝《いぶか》りながら、戸を開けると、丈は遙《はる》かに私をしのぐ大きな鳶《とんび》が一羽、立っている。何かに止まっているのではない。軒下に頭

をつっかえるようにし、足は地面を踏みしめて立っているのである。ぎょろりとした文字通り鳶色《とびいろ》の硝子玉のような目玉が此方を認めた。

私はただ口をあんぐり開けて——それ以外に何が出来ただろうか——呆《あき》れていると、鳶の背中がもくもくと動き、羽根の下からゴローが飛び出した。鳶は黙礼するようにゴローを一瞥《いちべつ》、二、三歩表の方へ歩き出すと、大きく羽を揺らし、飛び立った。まるで空が半分以上鳶で覆《おお》われたかのよう、圧巻であった。ゴロー、おまえはいったい何者なのだ、と思わず飼い主の威厳をかなぐり捨て取りすがり聞き糺《ただ》したい気になる。しかし此方に向かって機嫌良く尻尾《しっぽ》を振っている様は、どこから見ても普通の犬だ。まるで鳶が雲を呼んだかのように、その日は午後から雨になった。

最近筆が進まなかった。執筆にはペンとインキを用いているのに、筆が進まないとは。しかしペンが進まないと云《い》うより、筆が進まないと云う方が、精神の在り方に即しているような気がする。思うにこれは、千年以上慣れ親しんだ筆硯《ひっけん》から、ペンとインキへ移行するのに、我々の魂が未《いま》だ旅の途上にあるためではあるまいか。

文明の進歩は、瞬時、と見まごうほど迅速に起きるが、実際我々の精神は深いところでそれに付いていっておらぬのではないか。鬼の子や鳶を見て安んずる心性は、未だ私の精神がその領域で遊んでいる証拠であろう。鬼の子や鳶を見て不安になったとき、漸《ようや》く私の精神も時代の進歩と齟齬《そご》を起こさないでいられるようになるのかもしれぬ。

ペンが動かぬ、というよりは、筆硯塵《ちり》を生ず、と云った方が少なくとも私の精神に馴染《なじ》む。

ところで、なぜ筆が進まぬかというと、後輩の山内に、高堂が帰った旨《むね》、葉書で書き送ったら、湖の底の話を聞けと云ってきたのである。正直に云って、さすがにこれは私の精神が——未だペンやインキに馴染まないにしろ——すでに遠く離れた、馴染みのない世界であった。有り体に申せば、恐怖を感じる。しかし、文筆を生涯の仕事と決意してあるからには、このくらいのことで怖《お》じ気づいてはならぬ、とも思う。

そんなことをつらつら思うていると、床の間の掛け軸の方から気配がしてきた。風が吹き抜け、がたがたと音が聞こえてきた。高堂だ。此処を使ってやってくるのは随分久しぶりだ。

——おう。

と、学生時代そのままに声をかけると、おう、とこれもそのままに返してくる。

——雨に紛れてやってきたのか。

——そういうことだ。

高堂は頭を一振りさせて露を払った。

——今日はゴローは居るんだな。

木蓮《もくれん》の木の下の犬小屋を見ながら、高堂が呟《つぶや》いた。

——今朝、帰ってきたのだ。鳶の背中に乗って。

この言葉の前に実は、驚くなよ、と云おうとしたのだが、今更そんな言葉は無意味だと気づいた。

——その鳶は鈴鹿《すずか》の山の主だろう。

——鈴鹿の山。それとうちのゴローとどういう関係があるというのだ。毎日鈴鹿の山まで出向いていたのか。

——それは知らん。しかしゴローはこの辺では有名な仲裁犬だ、知らなかったか。

知るわけがない。そういえば、と、以前高堂が、ゴローが河童《かっぱ》とサギの争いの仲裁をしたと云っていたのを思い出した。が、無論この目で見たわけではない。そのことを確かめると、

——ああ、あの一件が世評高く迎えられ、揉《も》め事があるたび呼ばれるようになったわけだ。

——一体誰がそのことを。

——まずサギが空にて吹聴《ふいちよう》し、河童が沢で述懐した。

——ほう。

——サギと河童と云えば仇敵《きゆうてき》同士というようなものだ。それを双方納得ずくで引き分けさせたというのだから、大したものだ、と。

——しかしその名が鈴鹿の山まで轟《とどろ》いていたとは。

私はこのとき、かねてよりの懸案であった事を持ち出そうと思った。思い切って、引き較《くら》べて己れの小ささが思われてならない。

——未だかつて見たことのない場所を、文筆によって表すにはどうしたらよいのだろうか。おまえのいた湖の底を書いてみたいと思うのだが。

高堂は、

——それはやはり自分の目で見るのが一番だろう。

——それができるのか。

思わず半信半疑で訊《き》く。

——おまえの覚悟次第だ。

そう呟いた高堂の姿が、ふっと一瞬闇《やみ》にぼやけた。雨は次第に激しくなり、家の中は益々《ますます》暗くなる。ざざっと、木々が風に揺らぐ音がする。此処で高堂を見失わないようにすればよいのか。

――止めておこうか。

高堂が急にさばさばした口調で云った。

――湖にはあらゆる方角からの地下水脈が流れ込んでいる。その底は、また次元が違うのだ。時間というものの観念が違う。意識のありようで、おまえと俺とでは同じものを見るとは限らない。そのときがくれば見えるようにもなるだろう。

――成程。

私は慌《あわ》てて云った。高堂は窓の外を見ながら、

――鈴鹿の山には今頃一面のセツブンソウの斜面があって、佐保姫がまず春一番にそこに寄るはずだった。それを今年はどういうわけか、一番に此方に寄ったので、鈴鹿のセツブンソウより前に此処の桜が咲きそうなのだ。鈴鹿の主は、そのことを憂《うれ》えていたのに違いない。浅井姫も心配しておられた。それで俺もちょっと鈴鹿に寄ってきたのだが、セツブンソウは咲いていたよ。話がついたのだろう。

――浅井姫とはどんなお方なのだ。

高堂は暫《しばら》く考えていたように見えたが、

――おまえにそれを語る言葉を、俺は持たない。人の世の言葉では語れない。

ううむ、と私も暫《しば》し考え、

――しかし俺はそれを言葉で表したいものだと思う。

――無粋なことだ。

私は、ああ、そうだ、これが高堂と自分との決定的な差異なのだと悟った。私は急に、私たちの前から忽然《こつぜん》と姿を消した高堂に対して、恨みのような思いが湧《わ》き上がるのを感じた。

――おまえは人の世を放擲《ほうてき》したのだ。

――おまえは人の世の行く末を信じられるのか。

ペンとインキか。人の世はもっと先までゆくだろう。早晩鬼の子など完全に絶えてしまうだろう。長虫屋などの商売も追いやられてゆくに違いない。

――……分からない。

私は追い詰められたウサギのような心境で呟いた。高堂は、ちょっと微笑《ほほえ》むようにして、

――まあ、いいさ。

と、答えた。

——しばらくは春一番で荒れる。

そう云い残して帰っていった。床の間に、見慣れぬ純白の繊細な造りの花が落ちていた。下界にまみれぬ、清澄《せいちょう》な気配を辺りに放っている。ああ、これがセツブンソウか、と屈《かが》んで拾い上げた。

成程これでは深山の奥にしか棲息《せいそく》できまい、と思った。

貝母《ばいも》

和尚《おしょう》の寺の竹藪《たけやぶ》には、当たり前だが筍《たけのこ》が生える。先だってから急に早春の筍、ほんの小さな、海老芋《えびいも》ほどの大きさの奴《やつ》が食いたくなって、散歩の帰り、竹藪に入り、何気なく足先で、その気配はないものか探った。土の中に埋もれて、まだ陽の光を浴びない、色の白いところが良いのである。それを炭火であぶって焦《こ》げ目の付いたところに鰹節《かつおぶし》をかけ、生醬油《きじょうゆ》で食すのだ。

春は竹の秋。竹林は孟宗竹《もうそうちく》であるので、竹の背丈は随分高い。藪の中に入ると空気は清新そのもの、高い空は細くなった竹の幹が寄り集まって下からはまるで見えない。かといって、照葉樹の林ほどには暗くはない。枯れ葉が時折舞い降りる。だが目指す筍は見つからない。その代わり、竹藪の奥、少し高台になったよく陽の当たる場所で、変わった植物を見つけた。大きさはキキョウほどだが、花びらは薄い緑が入った生成り色、首から先が杯を伏せたように俯《うつむ》いていて、その妙実に云うべからざるものがある。

今まで見たことがない。新種であろうか。

余程採って帰ろうかと思い、手をかけたが、それも田舎びたることと止《や》めた。それよりは筍を採って帰る方が遙かに質実であり経済である。それで、しつこく探したがやはり見つからない。意地のようになって、どこまでもどこまでも丘を上ってゆくと、彼方《かなた》に湖が見えた。こんなところまで来たか、と、暫く眺めを堪能《たんのう》した後、少し下まで行こうかと道を探していると、風情《ふぜい》のある杉皮葺《ぶ》きの家がひっそりと竹藪の中にあるのを見つけた。惹《ひ》かれるものがあり、その前まで行くと、「編笠《あみがさ》」と書かれた表札が掛かっている。もの書きの業《ごう》のようなもので、一体ここの家主はいかなる人物かと思いを巡らせていると、玄関の小さな障子戸ががたがたと開き、中から日本髪に結った、年の頃三十路《みそじ》に入ったばかりかと思われる女人が現れた。

――ご用の向きは。

と真顔で訊かれると、少々狼狽《ろうばい》して、

――これは失敬。麓《ふもと》の方から筍を探して登ってきたのだが、思いも寄らぬ所に出てしまい、見れば床しい家がある、と、近くまで寄ってきたというわけです。すぐに帰ります。

そう云って帰ろうとしたら、
母 ――孟宗竹はまだまだですよ。あなたが探しておられるのは大名竹《だいみようちく》でしょう。それはこの辺の藪ではありません。もう少し下っていったところにあります。けれどそれも他人様の持ち物で……。

と諄々《じゆんじゆん》と諭される、ただただ恐縮していたが、ふと、なぜ大名竹だと分かったのだと疑問が湧き起こった。

貝 ――どうして私が探しているものがそんなに詳しく分かったのです？ 私は筍、としか云わなかったのに。

日本髪は一瞬虚をつかれたような顔をしたが、

――それはあなた、分かりますとも。

と、説明にならないことを云い、

――もっと分かることもありますよ。この先をずっと下って行ってごらんなさいまし。ねえ、あなたがきっと探している道ですよ。

そう云って婉然《えんぜん》と微笑む。何だか怪しくなってきた。

――何者ですか、あなたは。

――私？　私は百合《ゆり》です。

そう云って、丁寧にお辞儀をすると、また障子戸の奥に入ってしまった。妙な具合である。そう云えば、これより南には街道で一番大きな関所があり、関所の厳しさと峠のきつさから、女子《おんなこ》どもはその少し北の小関《こぜき》越えをして東と西を行き来していたと聞いたことがある。考えればそれがこの辺りのはずだ。関を越える旅人相手に商いをしていたものの話もよく聞く。都がすぐそこ、というので、家族への土産にと需要もあったのだろう。子どもの好きそうな板絵もこの辺りの名産のはずだ。そうすると、今の女はその時代この辺りに住み着いた者の末なのかもしれない。

そういうことを考えながら、湖の方へ下る道を歩いた。

私の探している道とは何か。

関へ至る道か。探しているものと云ってくれれば分かりやすいものを。今は筍を探していたのだ。

早春の気候は移ろいやすく、しかもまだまだ肌寒い。空は次第に雲が垂れ込め、吹く風がまだ辺りにしがみついている冬の執念を思わせる。やがて人家がちらほらと見え始めた。そうするとあっという間に里に出た。まだ引き起こされる前の田圃《たんぼ》があり、あぜ道がある。しかしひと気はない。更に行くと、北陸街道とおぼしき街道筋に出る。軒の低い民家が道に沿って並んでいる。その戸をガタガタと風が鳴らしてゆくが、やはりひと気はない。それともあの民家のやはり軒の低い二階、天井裏の小部屋のような部屋に僅《わず》かに開いている格子窓《こうしまど》の向こうから、しんみりと此方《こちら》を窺《うかが》っているのだろうか。

筍を探して随分遠出をしてしまった。しかも辺りには霞《かすみ》ならぬ霧まで漂い始めた。もう帰ろうかとも思ったが、せっかく此処《ここ》まで来たのだから、せめて湖の岸辺に立つぐらいはして行こうと方針を定める。街道を横切って、湖の方角とおぼしき方へ歩を進める。人家は次第に少なくなり、水路が多くなり、霧で足下を見失わないように気をつけなければならなかった。実際、その時点ですでにずいぶん豪勢な霧模様だったのである。水路のあちこちには小舟が係留されている。土耳古《トルコ》に行っている村田が書き送ってくれた、彼《か》の地の金角湾というこれもまた風情のある湾に、カユクと呼ばれる小舟が雲霞《うんか》の如《ごと》く行き来するのだという、そのことを思い出した。所が変わっても、人間の行う営みにさして違いがあるとは思われない。水があれば人はそれを最大限利用し、遠くまで行きたいと願う。transportation——transition transition!

岸辺には桟橋がいくつも伸びていて迷路のようだ。湿気に足を取られないように、注意を払いながら手探りするように岸辺を目指す。いつか桟橋も離れて、葦原《あしはら》に出た。冬の間に刈られた葦の間から新芽が出てこようとしている。またそこからはずっと、刈り残された枯れた葦の林だ。

漂う霧は益々濃くなってゆく。葦の向こう、霧の中を湖が見え隠れする。二、三間ほど先に、サギがじっと目を凝らして水中を狙《ねら》っている。この光景は家の床の間の掛け軸と全く同じだった。私の足下が音を立て、驚いたサギは此方を見て慌てて霧の向こうに飛んでゆく。ではこの向こうか。私はしばらくサギのように、じっと動かずにその向こうを見ていた。それから、やはり、そこから帰ることにした。

霧はあまりに濃くなって、湿気を保ち切れず、崩れて霧雨になってゆく。

山椒《さんしょう》

思いの強さはそれの現実化を呼ぶのか。和尚が、檀家《だんか》から筍を土産に貰《もら》ったと云《い》って、法事の帰りに寄った。山寺への坂を上るのに少しでも荷を軽くしたかったのだろう。

——朝掘りだ。今ならまだアクも少ないだろう。

玄関に現れた和尚の手元を見たときは、欣喜雀躍《きんきじやくやく》、我ながら情けないほどに相好を崩しているのが分かった。

——実は先だってから無性に筍が欲しくなって。和尚の山を徘徊《はいかい》したりしていたのです。

——あれは無骨な筍だ。が、これは違う、大名竹だから繊細なものだ。

それから念願の炭火で焼いて、和尚も般若湯《はんにゃとう》を聞こし召し、二人いい気分で庭を見ていると、ゴローが珍しく昼間から庭にいて、見るからに犬らしく座り、何かご用は、という風情で機嫌良く我々を見ていた。

――いい犬だなあ。よくものが分かっている。今日はわしを見ても吠《ほ》えん。主人に利する者、と判断したのだろう。

――ゴローが和尚に吠えたことなどありましたか。

――あるさ。互いにまだ気心の知れぬうちは。それで竹山を徘徊して何か収穫はあったのか。

――不思議な家を見つけましたよ。婦人が一人、いやご家族があったのかも知れないが、とにかくその家の風情が何とも、最近訳出されたロセッティの文章を思わせて。こんな感じです。

と、私も酒の入った気軽さで吟じた。

――ものかげの邊《あたり》や。
　人は此處《ここ》にして
　沁《し》み入る幽冥のさゝやき
　さまよふ陰火
名づけも知らず、集ひゐる物のかたち

寂びたる露
さてはわが跫音《あしおと》われを趁《お》ふが如く
萬《よろづ》のもの、隠顕徂徠《いんけんそらい》するを見るかとや思はむ。

和尚は考え込むように目を細くして聞いていたが、

――気に入らんなあ。

と、一言呟《つぶや》いた。

――何がです。その家ですか。ロセッティですか。

――全体にさ。大体あの掛け軸がさっきから気になっている。

和尚はそう云って床の間を指した。

――ああ。あれはこの家の前の住人が置いていったもので……。私には大事なものなのです。そうそう、さっきの文章の、確か出だしはこんな風だ。


……こは彼《か》の君在りし日のゐすがた。

ながめいるはては彼の君ゆるぎ寄るかとぞ思ふ。

――ますますもって気にいらん。封じてやろうか。どうだ。

私は大慌《おおあわ》てで、

――それは困る。いくら和尚でも、そんな権利はない。

――何を云う。耳なし芳一を救ったのも和尚だ。こういう話は最後には和尚の出番と相場が決まっている。

私は無性に腹が立った。

――和尚がそんな人間とは思わなかった。もう、帰ってください。

――おまえのためを思って云っているのだ。先日も、編笠《あみがさ》の家に引きずり込まれたら最後だったのだぞ。

このとき一瞬、何かおかしいとは思ったが、此方も飲んでいたのでそこまで話を吟味できず、

――別に引きずり込まれたって構いませんよ。向こうにその気がなかっただけで。

――なくなったのだ。相手がおまえと分かって。

失敬な。庭の外ではゴローが騒ぐでもなく面白そうに此方を見ている。

――ゴローに感謝しろ。

どいつもこいつもゴローゴローと。私は面白くなかった。憮然《ぶぜん》として黙り込んだ。

――封じたくないのだったら、気を確かに持つことだ。

そう云って、和尚は帰っていった。

気を確かに持てと云われて、確かに持てるものだったら、世の中の騒動の種は粗方《あらかた》消失するだろう。此方が持とうと思っても、気の方でその気がなかったら詮《せん》ないことなのだ、無益なことを云う、と思ったが、心のどこか、それで落ち着いた気もした。

私はそのままいつのまにか一眠りした。

気づくと玄関で呼ばうものがある。頭を振りながら立ち上がり、出向くと、またさいぜんの和尚が筍《たけのこ》の包みとおぼしきものを持って立っている。私はそのときはもう、和尚への腹立ちも消え失《う》せていたので、

――さっきはどうも。

――さっきとは。

和尚は怪訝《けげん》そうな顔をしている。これは和尚、耄碌《もうろく》したかと不安になり、

――いっしょに酒を飲んだではありませんか。

――わしではない。夢でも見たのだろう。寝皺《ねじわ》が顔に出来ている。そんなことより、檀家から筍を貰った。

――さっきも筍をもってきてくださったでしょう。

畳みかけるように云うと、

——いや……はは あ。

和尚は、ピンときた、という顔をして、

——檀家が、竹山が狸《たぬき》に荒らされて朝掘りで持って行かれたとこぼしていた。狸か。

私は頭を抱えた。それから先の一件を話すと、和尚は呵々《かか》大笑してこれは愉快だ、と機嫌良く帰っていった。

筍があまるほど貯《た》まってしまった。隣のおかみさんに分けようと、仕分けしていたら、土付きの所に、小さな明るい緑色の山椒の芽生えが着いてきていた。豆粒ほどに小さいが、立派に山椒の葉の形をしている。芽吹きの季節なのだ。

春が来たのだった。

桜

疏水《そすい》の両岸の桜が満開のまま、しばらく静止を保っていたが、ついに堪えきれず、散りに入った。疏水の流れはその花びらが、まるで揺れ動く太古の地表のように、大きな固まり、小さな固まり、合体したり離れたりを繰り返し、下手に流れてゆく。じっと見ていると次第に川面《かわも》は花びらで埋め尽くされ、水の表を見ることも難しくなるほどだ。

昨年はこの桜の季節を過ぎてから引っ越したので、噂《うわさ》には聞いていたがこれほどのものだとは思わなかった。花吹雪、という言葉は決して誇張のものではない。目を少し上方に転じても、これほど桜が多かったのかと驚くほど、あでやかなぼんぼりを燈《とも》したような、微《かす》かに朱の入ったほの白いものが、点々と山肌を覆《おお》う。疏水の木の下は、オオイヌノフグリとキュウリグサの青、ホトケノザの薄紅、ペンペングサさえつつましく白い清楚《せいそ》な花を付け、土もくもくとやる気に満ちている。まさにときは春、万物がその生を謳歌《おうか》するにこれほどふさわしいしつらえがあろうか。

寝ていると何かの気配で目が覚めた。夜明けの近いのだろう、闇《やみ》が少し軽くなってほの白んできたようだ。しばらくぼんやりと動かずにいたが、ふと部屋の隅に目を遣《や》ると、きちんと髷《まげ》を結った見知らぬ女が正座している。横には旅行鞄《かばん》のような物が置いてある。慌てて上半身を起こす。女は手をついて深々と礼をする。

——暇乞《いとまご》いに参りました。

私は何が何だか分からない。知り合いかどうか必死で考えるが覚えがない。寝ぼけ眼で声も出ない。何とかして声を出そうと四苦八苦しているうち、女の姿はぼんやりと透き通ってゆき、やがて散じて消えてしまった。

キツネにつままれたような、夢の続きを見ているような、仕方がないので横になり、眠る。再び起きると、すでに日は高く上がり、昼も近いような気配だ。

——それは桜鬼《はなおに》ですよ。いつも疏水縁《べり》でぼうっと桜を見てらしたでしょう。

隣のおかみさんは大きく頷《うなず》きながらいつものように謎解《なぞと》きをする。それは私も後で思いついた。けれど、どうも鬼とは違うような気がする。

——いつまでも独り身でいるから、そんなものが寄ってくるんですよ。……つかぬ事をお聞きしますが、あなた、もの書きというのはお給金はいかほど。

思いもしないところから、槍《やり》を投げられたような心地して、窮地に立たされ口ごもる。

——……勤め人のようなわけにはいきません。仕事がなければ金も入ってこない。

仕事があっても仕事ができなければやはり金は入ってこない。私の暮らしぶりはご存じでしょう。

おかみさんは、ああ、悪いことを訊《き》いた、忘れていた、そうであった、というように深く頷き、急に親身に半歩近寄り、実は、と改まり、

——知り合いに年頃の娘さんの縁談を探しているおうちがありましてね、呉服屋の娘さんで何でも変わった方で、商売人はもう嫌だ、貧しくても銭勘定とは無縁の清廉《せいれん》潔白の士と添い遂げたいという希望をお持ちだそうで、ご両親もお困りなすっていたが、とうとう音を上げてかくかくしかじか、と回りに相談していらっしゃるのですよ。羽振りのいい方との縁談は降るようにあっても、そんなところからの話はきませんからね。なに、実家は大店《おおだな》で裕福なもの、若夫婦二人食べさせてゆくぐらい痛くも痒《かゆ》くもありません。と云《い》っても、一応の紹介はしないとねえ……。

それがための「給金はいかほど」か。銭勘定とは無縁の、と云っておきながら、この人はこの矛盾に気づかぬのか。ああ、しかし世の中とはかくなるものなのだろう。衆生《しゅじょう》は平気でこの矛盾を背負い込めるほどに健康なのだろう。ああ、とてもかなわない……。私は大きく深呼吸した。

——とてもそういう気分にはなれんのです。第一私には自分の係累《けいるい》を持ちたいとい

う欲はない。

おかみさんはひどく打撃を受けた顔をして私をまじまじと見た。それからようやく、

――いいお話だと思ったんですがね……。

とだけ云って、首を振り振り帰っていった。

私も家の中に入り、座敷に上がると、隅に白っぽくなったところがあるのに気づいた。近づいてよく見ると、桜の花びらが吹き溜《だ》まりになっている。今朝、あの女が座っていた所だった。やはり桜鬼だったのだろうか。

私は実は、あの女はサルスベリではないかと疑っていたのだった。大きくうろのくれたサルスベリが、もういよいよ持たないのではないか、それで暇乞いに来たのではないか、と、頭が覚醒《かくせい》したと同時に思い立ち、確認に行ったのだった。しかしサルスベリはいつもと変わらず、とりたてて不都合の所があるようには見受けられなかった。それでも気になったので、最近気に入りのロセッティの詩をいくつか読み聞かせてやった。その最中、おかみさんが「ゴローに残り物」を持参して現れたのだった。

そうだ、雑誌を庭に忘れている。私はもう一度庭に降りてサルスベリの所へ戻った。サルスベリはじっと待っていた。概して植物というのはその属性として待つことに長《た》けているものだ。サルスベリとて例外ではない。しかしそのときは殊更《ことさら》に熱心に待っ

ていた。私が雑誌を取り上げたとき、木全体が一瞬細かく震えたほどだ。一寸怪訝《ちよつと》に思い、見上げると小枝の間を何かが走った。鳥か、猫か、と思い目を凝らすとどうもいつかの小鬼である。木のこぶに擬態して、隠れたつもりでいるらしいが、ほぼ全身が見えている。いつからここにいるのだろう。棲《す》み着くつもりでいるとしたらサルスベリはたまらんだろう。蟬《せみ》ですらうっとうしがる蒲柳《ほりゆう》の質、気難しい性分なのに。そう思い、

——この木はやめてくれないか。うろが大きいだろう。あまり負担をかけたくないのだ。

小鬼は暫《しば》く変化がないように見えたが、

——どこならいいのだ。

と、ぶっきらぼうに訊いてきた。私は慌てて考えた。

——そうだな。泰山木はどうだ。あそこならどっしり落ち着いていられるぞ。

小鬼は、ふん、と鼻息のような返事をしたが、あっという間にいなくなった。泰山木に移ったのだろう。さすがに素早い。私はこのとき、今朝の桜鬼のことを訊くべきだったと思いついた。とても同じ鬼とは思えない。姉か叔母かに当たるのだろうか。サルスベリは一息ついたようにざわっと葉ずれの音をさせた。礼かも知れぬ。午後

からは山内が例の繊維業界誌の原稿を取りに来ることになっていた。目刺しと朝の蜆《しじみ》の味噌《みそ》汁《しる》の残り、ふきのとう味噌で昼をすました。やがて玄関で声がして、返事をすると山内が上がってきた。珍しく原稿が早く出来ていたので、大いばりで渡す。山内は少しだけ嬉《うれ》しそうな顔をする。そこで桜の花びらの吹き溜まりに気づく。

——おや、これは。

ああ、と云いかけて、こいつに桜鬼などと云って通じるのかと危ぶみながらも、

——今朝方、暇乞いをすると云って見知らぬ女人が座った。近所のおかみさんの話では桜鬼だというんだが、どうも鬼のようには思われん。小鬼なら庭にもいるが、到底似ても似つかぬ者なのだ。

山内は、一寸呆《あき》れた、という顔をして、一旦《いったん》息を大きく吸い、

——小鬼は子鬼にあらずして、小鬼という立派な種の名前なのです。綿貫さんは何かものごとを根本から誤解しておられる。鬼族は北から南、様々な種が分布していて、出世魚のように同一個体が成長につれて名を転じてゆくというようなものではありません。

思わぬ山内の雄弁に私はたじろいだ。

——何故《なぜ》そんなに詳しいんだ。

——常識ですよ。

山内は咎《とが》めるように云った。私は途端に頼りない不安な心もちになる。

——……何故知らなかったのだろう。

——世俗から離れていると一般常識に疎《うと》くなるのはある程度仕方ありません。

山内は慰める方に回った。

——今朝からそんな話ばかりだ。

と、私は隣のおかみさんの、「風変わりな呉服屋の娘さん」の縁談の話をした。山内は、

——そのお嬢さんなら知っています。組合の幹事のお嬢さんですよ。悪い話ではありません。

と、熱心に云った。私は、ふうん、と受け流した。

——業界誌の綿貫さんの随筆も読んでるに違いありません。

山内は益々《ますます》熱心に云った。こいつは私の才能に見切りを付けて、この仕事から早々に手を引きたいのだろうか、とまた不安になる。すると、

——だからどうせこの話は流れるんじゃないでしょうか。

私は自分の耳を疑う。思わずうわずった声で、

――それはどういうことだ。

――落ち着いて下さい。この原稿もきっとそうに違いないが、今までのだって面白いには違いなかった。けれど、この著者と生活を共にしようという気になるような内容だったでしょうか。

非常な説得力だ。

――綿貫さんは、だから、桜鬼なんぞに律儀《りちぎ》に挨拶《あいさつ》されるような境涯にあって、超然としているところがよいのですよ。早く高堂先輩の話を書いて下さい。

私はううむと唸《うな》り、山内は此処《ここ》が潮とばかり帰っていった。

吹き溜まりの桜は、何だか惜しいようないじらしいような気がして、放っておいたら、三日ほどで小さく乾燥し、風に乗って開け放した窓から飛んでいった。

葡萄《ぶどう》

空気が重い。今にも雨が降り出しそうだ。座敷から外を眺めると、サルスベリの花がいくつかほころび始めているのに気づいた。そういえば、初めて高堂がやってきたのもこんな日だった。あの日は夜になって風雨が激しくなり、硝子《ガラス》戸が恐ろしいぐらいに音を立てていた。思い出しながら外を見ていると、硝子戸に映っている風景が室内と少し違うと気がつく。よく見ないと分からないが、透き通ったその風景はどこかの野原だ。今までもずっとこのように違っていたのか、それとも今までは穏当に此方《こちら》の景色を映していて、何かの事情があり突如として彼方の景色に変わったものなのか。また、自分は知らぬ振りをしていた方がいいのか、やはりそれとなく気づいたことを知らせた方がいいのか、であるならそれはどのようにして、等々、考えて、悩む。

そのうち原稿の方に気持ちが寄ってゆき、硝子戸のことも忘れ、気がついたら暗くなりかけていた。勝手に立ち、飯を炊《た》き、鮎《あゆ》の干したのを戻してつくってあった甘露煮と貰《もら》い物の塩からで食事をする。それから銭湯へ行き、帰ってきて調べものをした後、喉《のど》が少し渇いていたが構わず就寝。

夢の中で和尚《おしよう》の山の辺りを散歩している。草地をゴローが先を行く。いつしか今まで来た覚えのないところへ出る。楽隊の音が微《かす》かに聞こえる。それに引かれて山を越し、また一つ越しというように、彷徨《さまよ》うが如《ごと》くただ聞こえてくる音を頼りに山をゆく。

次第に下りばかりになってきて、こんな谷地《やち》があっただろうか、と訝《いぶか》りつつ、どうせ夢だから、とどこかで高をくくっている。益々急な下りだ。少し緩やかになったと思ったら、また下りが始まる。両側からは切り通しのような崖《がけ》が迫っている。ゴローは余程先を行っている。林に入る。景色は次第に群青色《ぐんじょういろ》を濃くしゆっくりと暮れなずんでゆく。もう随分な低地のはず。しかるに空気はいよいよ清澄《せいちょう》さを増し、木々の幹は柔らかく温和《おとな》しく淡々と、楽隊の音はその林の奥から流れてくる。のみならず人のざわめきまで微かに伝わってくる。こんなところで何かの集会でも開かれているのか、と更に訝る。夢だということをすっかり失念している。楽隊の奏《かな》でる西洋音楽は、どこか物憂《ものう》く懐《なつ》かしく優しく、集会であるにしてもよほど高尚な趣味人の集う場であることが察せられ、好奇心と不安を両方抱えつつ歩を進める。辺りは月明かりとも星明かりともつかない不思議な明るさを秘めた菫《すみれ》の暮色を深めてゆく。手入れされた落葉《から》松《まつ》の林。それとも高地にあるような自然の抑制が利《き》いて手入れの必要がないのか。ゴローが先の方で見えなくなる。こちらも足早になり、追いつこうとする。すると更に丘を下るような勾配《こうばい》があり、その先は明るさと昏《くら》さを混ぜ合わせ、底光りするようなその度を益々深めた、広場のようだ、木々が疎《まば》らになっている。楽隊の音はここから流れてくる。思い思いの洋装をした男女が、ある者は寝椅子《ねいす》に横になり、ある者は揺り椅子に腰掛け、また彼方《かなた》へ一塊り此方《こなた》へ一塊りと、花の房を無造作に散らすよう、硝子の杯を片手に談笑している。中央に大きな円卓があり、季節ならぬ果物、葡萄がこぼれんばかり置いてある。喉が渇いていたので、私にはその大きな葡萄の粒がたいへん魅惑的だ。広場へ足を踏み入れてゆく。人々の間を行くのだが、まるで林の中を行くのと変わらぬ自然さだ。通り過ぎざま、皆は此方を承知している証拠に少し目を伏せるぐらいで、誰も咎め立てはおろかじろじろと見るものもない。

円卓の周りには数名が椅子に座り、ゆったりと食事をとっている。ナイフやフォークも散見するが、皿の上のものは私の食生活からは見当もつかず何とも判別し難い。近づくとこのときはさすがに皆此方に顔を向けた。空いている椅子はある。が腰掛けていいものかどうか。周りが微かに頷《うなず》くようにした、と思ったので、恐る恐る座る。

さあ、葡萄だ。此処が思案のしどころだ。こういう異界の食べ物は口にしてはいけないと、古今東西の伝説が教えているではないか。それを敢《あ》えて無視するのなら、小なりと雖《いえど》も蓄えた教養が泣く。艶《つや》やかに手招く葡萄は赤紫。露を帯び、こぼれんばかりの房が円卓の中央を飾っている。

——お食事はまだでした？

斜め向かいに座る、妙齢を少し過ぎたぐらいのご婦人が囁《ささや》くように訊《き》く。

――今お着きになったばかりですから。

その隣の、カイゼル髭《ひげ》を蓄えた中肉中背の男性が、私の代わりに婦人に答える。

――誰か給仕に。

反対に座る、私と同じぐらいの年回りの男が向こうに声をかける。私は慌《あわ》てて、

――いえ。御懸念《ごけねん》には及びません。腹は空《す》いてないのです。

どういうわけか、ここでさざ波のような笑い声が一斉に起こる。笑われているのだが、不思議に嫌な気はしない。ああ、そうだ、と思い立ち、

――犬を見ませんでしたか。飼い犬を追ってきたのですが。

――此処には犬はいません。

妙にきっぱりと最初の婦人が答える。そんなはずはない、と声を上げようとすると、

――さあ、葡萄をどうぞ。お腹《なか》は空いておられなくとも、喉はお渇きのはず。

それはその通りなのだが。一瞬周りがしんとして私の動きを注視したように感じた。

これはいよいよ怪しいと、

――私は、帰らねばならんのです。

――何故です。

と、先ほどのカイゼル髭が面白そうに問う。何故と云って……私が思わず答えに窮す

ると、

――此処にいればいいではないですか。此処はまだほんの入り口ですが、奥に行かれますとそれは素晴らしい眺めです。虹《にじ》の生まれる滝もあれば、雲の沸き立つ山脈《やまなみ》もある。金剛石で出来た宮殿もある。そこに住まいする涼やかな精霊たちもいる。心穏やかに、美しい風景だけを眺め、品格の高いものとだけ言葉を交わして暮らして行けます。何も俗世に戻って、卑《いや》しい性根の俗物たちと関わり合って自分の気分まで下司《げす》に染まってゆくような思いをすることはありません。

思わず引き込まれそうになる。カイゼル髭はいよいよ優しく、

――さあ、葡萄を。

しかし、何かが私の手を動かさない。私は黙ったまま動かなかった。随分時間が経《た》ったように思った。私は思いきって口を開いた。

――拝聴するところ、確かに非常に心惹《ひ》かれるものがある。正直に云って、自分でも何故葡萄を採る気にならないのか分からなかった。そこで何故だろうと考えた。日がな一日、憂《うれ》いなくいられる。それは、理想の生活ではないかと。だが結局、その優雅が私の性分に合わんのです。私は与えられる理想より、刻苦して自力で摑《つか》む理想を求めているのだ。こういう生活は、

私は、一瞬躊躇《ためら》ったが勢いが止まらず、

——私の精神を養わない。

言い切ると、周りはしんとした。カイゼル髭は気の毒なぐらいに真っ赤になった。怒りのためというより戸惑いのせいのようだ。

——私は……。

カイゼル髭は何か云おうとしたが、一瞬泣きそうにして黙ってしまった。

——では、失礼。

私は立ち上がり、一礼して踵《きびす》を返し来た道を歩いた。いつの間にかゴローが再び前を歩いている。心中秘《ひそ》かにほっとする。ゴローがいなければ帰り道が分からない。

……遠くから微かに夜行列車の汽笛が聞こえる。ぼんやりした輪郭の向こう側で、意識がこれは夢だと再び告げる。外は雨が降っているようだ。雨の日は汽笛が良く聞こえるのだ。意識は幽明の境にあって今ならまだ夢に戻れそうだ。私の中の何かが、向こう側に引っかかっている。雨の気配が障子を通して室内を侵してゆく。……そうだ、あのカイゼル髭の泣き顔だ。弱くて優しい人なのだ。それなのに私は随分力任せにあの人をはねつけたような気がする……。

雨は音もなく降っているが、時折破れた雨樋《あまどい》から雨滴がまとめて落ちるのが聞こえる。私はただそれを聞いている。次第にそれが遠く微かになってゆく。最初は草原だった。ゴローが出てきて先を行くのだ。そうだ。そしてどこまでも下ってゆく。切り通しがある。そうだ。楽隊の音が聞こえてきて……。広場だ。私は真《ま》っ直《す》ぐに円卓に向かって歩いた。先ほどと全く同じしつらえ。カイゼル髭は何事もなかったかのように穏やかな顔をして此方を見ている。

――先ほどの件ですが。

私は何よりも先にそのことを伝えようとしている。

――お心遣いは有り難いと思っています。私はあなたを否定するつもりは毛頭なかった。それどころかあなた方に憧《あこが》れる気持ちさえある。さっきは少し、自分に酔い、勢いを付けなければ誘惑に負けそうだった。だがそれは大変失礼な態度でもあったと帰ってから分かった。言葉足らずですまなかったと思っています。私には、まだここに来るわけにはいかない事情が、他にもあるのです。家を、守らねばならない。友人の家なのです。

カイゼル髭は目を閉じてにっこり頷いた。隣のご婦人が、

――そのことに気づいたのだわ。

と、扇子を口に当て、驚きを込めたひそひそ声で周りに囁く。向かいの紳士も、

――良く覚えていて戻ってきた。

――重畳《ちようじよう》、重畳。

皆に安堵《あんど》と優しさの波が拡《ひろ》がってゆく。私は葡萄を見ながら、美しいなと思っている。ふと、はて、ここは夜なのか昼なのか、という疑問が頭を掠《かす》め、空を見上げる。すると空は月長石で出来た巨大なレンズのよう、まるでこれは水の面、此処《ここ》は水底の国のようではないか……湖底か、と思う。

今度ははっきり雨滴の音が聞こえた。枕《まくら》の横に小倉袴《こくらばかま》の膝《ひざ》が見える。高堂だ。そうだ、ときがくれば、と云っていた。今夜がそのときだったか。

高堂は低い声で、

――行ってみれば何ということはなかったろう。

と、呟《つぶや》いた。そうかこいつは葡萄を食べたのだ、と思った。同時に、これで書ける、とも。

高堂は立ち上がり、歩いて行った。掛け軸の向こうで帰る音がしている。

――また来るな？

私は追いかけるように寝床から声を上げ、念を押した。

——また来るよ。

その声はすでに遠く、微かに響いた。まるで自分の放った声が、彷徨う木霊《こだま》となり、いくつもの国境に戸惑いつつ、ようやく帰り着いたかのようだった。あとはしんとしている、しんとしている。

もう一度目を閉じた。

烏蘞苺記《やぶがらしのき》　十一

綿貫征四郎

紅葉の季節が去らうとしてゐる。

全山燃ゆるが如《ごと》き深き紅も見應《みごた》へがあつたが、清き瀬の傍らでたゆたふ淵《ふち》に覆《おほ》ひ被《かぶ》さる枝先、紅の楓《かへで》が差し掛つてゐるのも、またそこから一葉二葉とひら〲紅葉が散りゆく様、水に浮かぶ様も興趣深いものであつた。つい昨日まで鮮やかなる紅葉を求めて野に山に彷徨《さまよ》ひ歩いたその愉《たの》しみも、移ろふ世の有りやうと同じく今は消え去らんとし、紅といへば冬への備へ萬全たらしめんと吹き荒《すさ》ぶ木枯しの中に揺れる隣家の軒の干し柿ほどのものである。

紅を求める心とは何か。

日々の孤獨と無聊《ぶれう》を慰めんがためのものか。しかし自然に對しても他人に對しても——尤《もつと》もその二つは同じものとも云《い》へるが——畢竟《ひつきやう》自分の中にある以上のもの、または自分の中にある以下のものは、見えぬ仕組みなのだ。

例へばこの孤獨はそもそも何に由來するのか、といふやうな問ひ立ての答へは、私の中にしかあり得ぬ。過去に私が立てた、無數の問ひに對して、今なら私は確實に云ふことができるだらう。外に求めることはない、私の中に、少くともその答への用意がすでにある、と。その答へを求めて私がどこを彷徨つたとしても、それは自分の中を反射させる鏡や小さきを大にして見るレンズを求めてのことなのだ。
このやうなことが明らかとされて、何が良かつたかといふと、外的には紅を求め衝動に驅られて動いてゐるだけなのだが、心持ちだけはずいぶんと靜かでゐられる、といふことである。しかしながら一方ではかうも考へた。それではまだ若輩の自分としてはいかにも殘念である。青春の覇氣が感じられぬ。が、何とも致し方ないことだ。

移ろふことは世の常である。幼き頃の美しい日々はすでに失はれ、そこに遊んだなつかしい人も心も、今は求めるを得ない。ただ變りなきものは龍田姫の訪れ、綾錦《あやにしき》のその裳裾《もすそ》を山から里へ惜しげもなく廣げ、また出立の時と見れば未練もなくしまひ上げる、野に山に飛び翔《かけ》て、大車輪の働きでもつて季節の衣替へをやつてのける、彼《か》の女神の眷《けん》屬《ぞく》、かそけきものたち。その仕事の練達の妙を堪能《たんのう》、冬に向ふ寂しき心の慰めとしよう。

龍田姫　御手《みて》差し擧げて　一捌《ひとは》けの
驟雨《しうう》撒《ま》かれぬ　湖黄昏《うみたそが》れぬ

昨夜の夢は愉快であつた。龍田姫のその美しい眷屬の夢であつた。ひと、き私の孤獨も慰められた。それは單なる幻ではない。繰り返しこの世を訪れ顯《あらは》れる確たる現象である。それは朝寒の夜明けの露と消えた今、またいづくにか結ばれんときを待つてゐるのであらう。それが再び私の枕《まくら》邊《べ》である必要はないが。

（月刊「唐草」十一月號）

解説

吉田伸子

あぁ、間違っていなかった！

本書を読んで真っ先に思ったことだ。

読後の感想として、奇異なものであることは重々承知しているけれど、初めて本書を読んだ時の気持を何度ふり返ってみても、やはり「間違っていなかった」と感じたとしか言いようがない。

では何故、そのような感想を抱いたのか。それにはまず、私と梨木作品との出会いから語らねばならない。

私が初めて梨木作品に触れたのは『春になったら苺《いちご》を摘みに』だった。ある日、ふと覗《のぞ》いた本屋さんの一角で、偶然目にしたその本に、我知らずするすると手が伸びていたのだ。こういうことは、ごくごくたまにあって、そのことを私は「本に呼ばれる」と言っているのだけれど、まさにその時、私は『春になったら苺を摘みに』に

「呼ばれた」のである。

それ以前に、梨木香歩という作家の名前は知っていたし、本好きの友人たちの間では『西の魔女が死んだ』や『からくりからくさ』や『りかさん』が話題になっていた。いつか読まなくては、と思ってはいたのだ。

けれど、『春になったら…』に「呼ばれた」時は、作者名を確認して手を伸ばしたのではない。手にした後で作者名を見て、あぁ、あの、と思い至ったくらいである。こういう時の本にはまず外れがない。その時の自分にしっくりと来る、その折々で自分が求めていた何か、をその本が与えてくれるのだ。

帰宅後、早速に読み始めたのだが、読み始めて早々、あ、と思った。今まで私を呼んできた本たちは、例外なく「物語」だったのに、『春になったら…』は、エッセイ集だったのである。ある作家に対するアプローチとして、その作家のエッセイ集から入るということをこれまでしてきたことがなかったので、ちょっと面食らってしまったのだけど、でもこの本は私を呼んだのだ。呼ばれたからには、多分、それが私が梨木作品に入る入口として相応《ふさわ》しいのだろう。そう思うことにした（後で確認したら、単行本の帯コピーには「著者が学生時代を過ごした／英国の下宿の女主人／ウェスト夫人と／住人たちとの／騒動だらけで素敵な日々。」とちゃんと記されている。それを読めばエッセイ集だということは分かりそうなものなのに、本に呼ばれたという、そのことで私自身相当浮き足立っていたのだと思う）。

結論から言うと、『春になったら苺を摘みに』は、まさしく私にとって、呼ばれるべくして呼ばれた一冊だった。当時の私が、身の内に漠然と抱えていたこととどもに対する一つの答えが、確かにそこにあったのだ。

——私たちはイスラームの人たちの内界を本当には知らない。分かってあげられない。しかし分かっていないことは分かっている。

——理解はできないが受け容《い》れる。ということを、観念上だけのものにしない、ということ。

あぁ、そうだ、この文章と出会うために、私はこの本に呼ばれたのだ。そう思った。あの米国での9・11の同時多発テロ事件以来、世情に昏《くら》い私ですら、うすぼんやりとした不安感（ただし、それはもし日本でも同様のことが起きたら、というものではなくて、もっと大づかみな、あぁ、これから世界はどうなって行くのだろう、といった漠然としたものだったのだが）があったのだ。この文章は、そんな不安感とちゃんと向き合うための糸口を、私に与えてくれたのである。

「分かっていないことは分かっている」という言葉の深さ。こういうことをちゃんとふまえている人を、私は無条件に敬愛する。それ故《ゆえ》、私にとって梨木香歩という作家は、書き手と読み手という以上の、もっと何というか、あることどもに対しての一つのあり方、視座のようなものを提示してくれる存在、となったのである。

呼ばれて良かった。呼んでくれてありがとう。読み終えてそう思ったことを、今でもはっきりと憶《おぼ》えている。そのことを私が忘れることはないだろう。

冒頭に書いた「間違っていなかった」というのは、本書の物語世界が、先に挙げた二つの文章にそれは見事に連なっていたからである。私と『春になったら苺を摘みに』が出会えたこと、ひいては、そこを入口として梨木香歩という作家に踏み入ったこと（今ではほとんど全作品を読んでいる）、そのことに対してのある種の感慨のようなもの、なのだ。

さて、随分と長い前置きになってしまったが、本書『家守綺譚《いえもりきたん》』である。

主人公の綿貫《わたぬき》征四郎は、大卒の学士であり、駆け出しの物書きである。物語はその征四郎が、早世した学友・高堂の実家に「家守」として住まうところから始まる。ある日、その家の床の間の掛け軸の中から、高堂がボートを漕いで此方にやって来る（彼はボート部に所属していた。ある湖でボートを漕《こ》いでいる最中に行方不明となったのだ）。不意に表れた高堂に、征四郎は思わず声をかけるのだ。「どうした高堂」と。「逝《い》ってしまったのではなかったのか」と（この「どうした高堂」のくだりは、何度読んでもくすりと可笑《おか》しい）。高堂も高堂で「雨に紛れて漕いできたのだ」と泰然と答える。そればかりではない。庭のサルスベリが、おまえに懸想《けそう》をしている、と忠告までしてくれるのだ。対する征四郎も、そのことを否定するでもなく、こう思う。「実は思い当たるところがある。サルスベリの名誉のためにあまり言葉にしたくはないが」と。

物語は一事が万事、このような調子で悠然と進んでいく。征四郎が拾った得体の知れないものが、実は陸にあがった河童《かっぱ》であったり、その河童を征四郎の飼い犬のゴローが滝壺《たきつぼ》まで送り届けたり、ゴローはゴローで、それが縁で河童と親しくなったり、と、此方と彼方《かなた》がある時は重なり、ある時は交差して、たゆたうように流れていく。四季折々の植物があり、風があり、雨があり、折々にささやかな怪異——白木蓮《はくもくれん》がタツノオトシゴを孕《はら》む、信心深い狸《たぬき》の恩返し、小鬼との遭遇、等々——がある。その真ん中に征四郎はいる。「分かっていないことは分かっている」ことを、「理解はできないが受け容れる」ことを、ごく当たり前のことのように身の内に持っている征四郎がいるのだ。

何度読み返しても飽きることがなく、何度読み返しても、あぁ、いい話だなぁ、と思う。単行本の帯には、「それはついこのあいだ、ほんの百年すこしまえの物語」とあるので、明治三十年代後半くらいを想像すればいいのか。物語の中では、時代も場所も意図的に特定されてはいないけれど（風景の描写からいって、京都と滋賀の境目あたりか）、それがかえって興を誘う。日本人ＤＮＡ（というものがあれば、だが）に響いてくる懐《なつ》かしい原風景がある。

好きな箇所はいくつもあるので書き出しきれないが、中でも私にとっての極めつきは、先述のささやかな怪異の一つに挙げた、狸の恩返しのくだりである。

松茸《まつたけ》を求めて雑木林に分け入った征四郎のもとに、ゴローが足許《あしもと》をふらつかせた尼《に》僧《そう》を伴ってやって来る。吐き気がして具合が悪いという尼僧から、南無妙法蓮華経と唱えながらさすってくれないか、と頼まれた征四郎が背中をさするうち、その尼僧はやがて農夫へと姿を変え、さらに落ち武者へと姿を変えていく。その時の征四郎の「これは人間のはずはない。しかしいかな化け物であっても、このように目の前で苦しんでいるものを、手を差し伸べないでおけるものか」という心意気がいい。やがて、深々と礼をして去って行った尼僧の正体が、比叡《ひえい》の山に住む信心深い狸だったと、懇意の和尚《おしょう》から教えられるのだが、その狸がお礼にとばかり籠《かご》いっぱいの松茸を届けに来たそのことに、征四郎は胸をうたれるのだ。「回復したばかりのよろよろとした足取りで、律儀《りちぎ》に松茸を集めてきたのか」と。その続きがいい。「何をそんなことを気にせずともいいのだ。何度でもさすってやる。何度でも称《とな》えてやる」と。この「何度でもさすってやる」という部分は、いつ読んでも胸に温かいものがこみあげてくる。

極めつきのもう一つは、高堂の言う「湖の底」すなわち彼方の世界に迷いこんでしまった征四郎が、おそらくは天上のものである葡萄《ぶどう》を彼の地の住人に勧《か》められる場面である。

（葡萄を採れば）日がな一日、憂《うれ》いなくいられる。けれど、その優雅さが自分の性分には合わないのだ、と答えた後で、すっぱりとこう言い切るのだ。こういう生活は、「私の精神を養わない」と。

この「私の精神を養わない」という言葉もいいのだが、さらにいいのは、そう言い切ってその場を立ち去った後で、力任せに彼の地の人をはねつけてしまったことに気がついた征四郎が、きびすを返して彼の地の人のところへと戻り、こう伝えるところである。

「お心遣いは有り難いと思っています。私はあなたを否定するつもりは毛頭なかった。それどころかあなた方に憧《あこが》れる気持ちさえある。さっきは少し、自分に酔い、勢いを付けなければ誘惑に負けそうだった。だがそれは大変失礼な態度でもあったと帰ってから分かった。言葉足らずですまなかったと思っています。」

そして征四郎は、こう続けるのだ。

「私には、まだここに来るわけにはいかない事情が、他にもあるのです。家を、守らねばならない。友人の家なのです。」と。

この二行の余韻の深さ！「家守綺譚」というタイトルに収斂《しゅうれん》するその見事さ！

うん、やっぱり間違っていなかった。何度読み返しても、そう思う。

（平成十八年七月、書評家）

この作品は二〇〇四年一月新潮社より刊行された。
「烏薟苺記」は書下ろし。

家《いえ》守《もり》綺《き》譚《たん》

新潮文庫　な－37－7

平成十八年十月一日 発行
令和七年十月十日 二十五刷

著者 梨《なし》木《き》香《か》歩《ほ》

発行者 佐藤隆信
発行所 株式会社 新潮社
郵便番号 一六二―八七一一
東京都新宿区矢来町七一
電話 編集部(〇三)三二六六―五四四〇
読者係(〇三)三二六六―五一一一
https://www.shinchosha.co.jp

価格はカバーに表示してあります。

乱丁・落丁本は、ご面倒ですが小社読者係宛ご送付ください。送料小社負担にてお取替えいたします。

印刷・錦明印刷株式会社　製本・株式会社大進堂

ISBN978-4-10-125337-4 C0193